한길 김승곤 전집
06

관형격조사 '의'의 통어적 의미 분석

저자 김승곤

- 한글학회 회장 및 재단이사 역임
- 건국대학교 문과대학 국어국문학과, 대학원 졸업
- 건국대학교 인문과학대학장, 문과대학장, 총무처장, 부총장 역임
- 문화체육부 국어심의회 한글분과위원 역임
- 주요저서:『관형격조사 '의'의 통어적 의미분석』(2007),『21세기 우리말 때매김 연구』
  (2008),『21세기 국어 토씨 연구』(2009),『국어통어론』(2010),『문법적으로
  쉽게 풀어 쓴 논어』(2010),『문법적으로 쉽게 풀어 쓴 향가』(2013),『국어
  조사의 어원과 변천 연구』(2014),『21세기 국어형태론』(2015),『국어 부사
  분류』(2017),『국어 형용사 분류』(2018) 등

한길 김승곤 전집 06

관형격조사 '의'의 통어적 의미 분석

© 김승곤, 2018

1판 1쇄 인쇄_2018년 09월 10일
1판 1쇄 발행_2018년 09월 20일

지은이_김승곤
펴낸이_홍정표

펴낸곳_글로벌콘텐츠
    등 록_제25100-2008-24호

공급처_(주)글로벌콘텐츠출판그룹
    대표_홍정표   **이사**_양정섭   **편집디자인**_김미미   **기획·마케팅**_노경민
    주소_서울특별시 강동구 풍성로 87-6(성내동) 글로벌콘텐츠
    전화_02) 488-3280 **팩스**_02) 488-3281
    홈페이지_http://www.gcbook.co.kr
    이메일_edit@gcbook.co.kr

값 22,000원
ISBN 979-11-5852-200-1 93710

간행사

글쓴이는 이번에 문집을 내기로 했다. 그 까닭은 다음과 같다.

재직 시에 낸 책은 ① 한국어 조사의 통시적 연구, ② 음성학, ③ 21세기 국어형태론(이것은 재직 시에 낸 '나라말본'을 개정하여 2015년에 간행하였음), ④ 한국어의 기원 등 네 권이었으나, 정년 후에 더 연구하여 보니까 여러 가지로 미흡한 데가 많아 다음과 같은 저서를 간행하게 되었다.

1. 국어형태론
2. 국어통어론
3. 국어 조사 연구
4. 국어 조사의 어원과 변천 연구
5. 조사 '이/가'와 '은/는' 연구
6. 관형격조사 '의'의 통어적 의미 분석
7. 국어 부사 분류
8. 국어 형용사 분류
9. 국어굴곡법(국어 연결어미 연구, 국어 의향법 연구, 국어 때매김 연구)
10. 국어의 의존명사 대명사 관형사 감탄사 연구(국어 의존명사

연구, 국어의 대명사 관형사 감탄사 연구)

11. 음성학

12. 한국어의 기원

13. 문법적으로 쉽게 풀어 쓴 논어

14. 문법적으로 쉽게 풀어 쓴 대학 중용 향가(문법적으로 쉽게
    풀어 쓴 대학 중용, 문법적으로 쉽게 풀어 쓴 향가)

15. 새롭게 연구한 국어학 연구논문집

등 도합 19권이다.

이 모든 책 중『문법적으로 쉽게 풀어 쓴 논어』,『문법적으로 쉽
게 풀러 쓴 대학 중용』,『문법적으로 쉽게 풀어 쓴 향가』를 제외한
16권은 국어의 모든 분야에 걸친 연구 서적이므로 이들을 한데 묶
어 놓으면 국어 연구에 편람서 구실을 할 것 같아 모두 엮어서 문집
으로 한 것이다. 다만 동사는 빠졌는데 양이 너무 많고 분류도 쉽지
않기 때문이다.

미흡할지 모르겠으나, 나의 일생을 통한 국어학 연구서 묶음이니
읽어 보면 연구하는 데 도움이 될 것이다.

2018년 08월

지은이 김승곤 씀

한길 김승곤 전집

관형격조사 '의'의 통어적 의미 분석

나랏말ᄊᆞ미
異잉乎ᅘᅩᆼ中듕國귁에야
달아文문字ᄍᆞᆼ와로
서르ᄉᆞᄆᆞᆺ디
아니ᄒᆞᆯᄊᆡ
이런젼ᄎᆞ로어린百ᄇᆡᆨ
姓셩이니르고져
호ᇙ배이셔도
ᄆᆞᄎᆞᆷ내제ᄠᅳ들
시러펴디몯ᄒᆞᇙ노미
하니라내이ᄅᆞᆯ
爲윙ᄒᆞ야어엿비너겨
새로스믈여듧字ᄍᆞᆼᄅᆞᆯ
ᄆᆡᇰᄀᆞ노니사ᄅᆞᆷ마다
ᄒᆡ여수ᄫᅵ니겨날로
ᄡᅮ메便뼌安한킈
ᄒᆞ고져ᄒᆞᇙᄯᆞᄅᆞ미니라

머리말

우리 나라 말본에서는 「의」를 매김자리 토씨로 다루고 있음은 주지하는 바와 같다. 따라서 이 토씨에 대한 자세한 용법이나 통어상에서 어떤 뜻으로 쓰이는가에 대하여 자세히 연구한 결과물은 지금까지 없었다. 최현배 박사님이 「우리말본」에서 그 용법을 12가지로 설명한 것이 처음이었고 그 다음이 글쓴이의 「현대 표준말본」에서 크게 일곱 가지로 나누고 그 하위 분류로는 56가지로 그 용법을 자세히 나누어 설명한 것이 최근의 일이다.

그러나 아직도 부족함을 느끼면서 언젠가 그 자세한 용법 즉 통어상에서 어떤 뜻으로 쓰이는가에 대하여 밝혀 보기로 마음먹어 오다가 그간의 통계를 바탕으로 하여 이제 한 권의 책으로 간행하여 세상에 그 용법의 전모를 밝혀내게 되었다. 「의」의 용법은 몇 가지나 되느냐에 대하여는 단정지을 수는 없으나 이 책에 제시한 것이 그 대종을 이룬다고 보면 틀림없을 것이다.

「의」의 뜻은 그 앞뒤에 오는 말에 따라 결정되기 때문에 그 확정된 뜻이 몇 가지가 되느냐를 결정지을 수는 없으나, 대개는 여기에서 밝힌 것에 따라서 판단하면 가능할 것이다. 「의」는 하나의 낱말을 대신하여 쓰이기도 하고 경우에 따라서는 구나 절을 대신하여 쓰이게 됨을 이 책의 내용을 보면 알 게 될 것이다. 따라서 「의」를 매김자리토씨라고 하는 것도 좋지마는 대용토씨라고도 할 만하다. 「의」를 매김자리토씨라고 한 까닭은 이 토씨가 붙은 말은 결국 그 다음에 오는 말을 꾸미는 것이 그 구실의 대부분을 차지하고 있기 때문이다. 그리고 자리토씨와 토음토씨 및 이음토씨와의 복합토씨에 대하여도 자세히 다룰 수 있는 데까지 살펴보았는데 이들 복합토씨도 결국은 매기는 구실을 하고 있다는 것을 예를 보면 알게 될 것이다. 그리고 어미에 「의」가 와서 매기는 예도 보였다.

내용을 보면 혹 같은 예문이 있을는지 모르나 자세히 살펴서 때 매김이나 토씨 등에 유의하여 보면 동일한 예문은 없을 것으로 생각한다. 십일 장은 앞에 나왔던 것을 몇 개 다시 요약한 것이니 오해 없기를 바란다. 풀이 가운데 잘못 풀이된 것이 있을는지 모르나 읽을이 여러분이 가르쳐 주면 참으로 감사하겠다.

글을 쓰는 사람들은 「의」를 어떻게나 많이 사용하는지 「의」가 나타내고자 하는 본뜻을 제대로 풀기란 여간 어렵지 않음을 느꼈다. 아주 애매한 경우에는 무조건 「의」를 사용함으로써 그 고비를 넘기는 글쓰는 이들의 마음을 이해하기란 참으로 어려운 일임을 자주 봉착하게 되었다. 앞으로는 「의」가 쓰이는 빈도가 더 많아질 것으로 보이는데 가급적 정확하게 사용하였으면 하는 마음 간절하다.

2006년 7월 지은이 씀

차례

Ⅵ. 「의」의 본뜻을 제대로 나타내기 위하여 월을 다시 고쳐 써서 나타내어야 하는 예들

Ⅶ. 「명사+의」가 「명사+과」로 풀이되면서 두 명사 사이의 관계나 견줌을 나타내는 예들

Ⅷ. 「명사씨+의」가 다음 각 항과 같이 다양한 뜻으로 이해되는 예들

IX. 「의」의 뜻을 완전하게 나타내기 위하여 월을 길게 풀거나 다른 말을 첨가하여 나타내어야 하는 예들

X. 「의」의 뜻을 하나의 낱말로 줄여 나타낼 수 있는 예들

XI. 「의」가 자리토씨, 도움토씨, 이음토씨와 겹토씨를 이루어 여러 가지 뜻을 나타내는 예들

XI. 어미에 쓰이는 「의」의 뜻

I. 책머리에

1. 머리말

국어의 관형격조사 「의」는 그 의미적 용법이 다양하여 한두 말로 말할 수 없는 상황에 있다. 그 사용이 많으면 많을수록 그 의미적 용법은 더욱 확대되어 복잡하게 되기 마련이다. 그런데도, 이에 대한 연구는 전혀 되어 있는 것 같지 않다. 그래서 글쓴이는 1년 이상의 시간에 걸쳐 통계를 내어 본 결과 이제는 한 권의 책을 쓰면, 「의」의 의미적 용법을 대체적으로 밝힐 수 있을 것 같아 이제 붓을 들게 되었다. 글쓴이는 「현대표준말본」에서 이에 대하여 일부 다룬 적이 있으나 그것으로써는 도저히 만족할 수 없음을 알고 이 작업에 착수하게 된 것이다.

말이란 자꾸 쓰게 되면 그 용법이 발전하는 법인데 「의」도 오늘날 아주 복잡하게 그 의미적 용법이 발전되어 그 연구가 이를 따를 수 없는 실정이다. 그렇다고 그대로 둘 수는 없어 만족할 수는 없으나, 지금까지의 통계로 이 책을 쓰기로 한 것이다. 앞으로의 더 많은 연구가 있어야 할 것으로 생각된다.

2. 「의」의 어원

글쓴이는 한글학회 50돌 기념논문집(1971:pp.185~200)에서 「의」
는 삼인칭 대명사의 소유형인 「의(矣)」에서 발달하여 왔다고 주장
한 바 있다. 이제 이에 대하여 더 많은 자료를 제시하여 그 어원이
확실함을 살펴보기로 하겠다.

(1) a. 耆郞矣兒史是藪耶(讚耆婆郞)

    b. 哀反多矣徒良(風謠)

    c. 直等隱心音矣命叱使以惡只(兜率)

    d. 三花矣岳音見賜烏尸聞古(慧星)

    e. 仰頓隱面矣改衣賜乎隱冬矣也(慈歌)

    f. 自矣心來(遇賊)

    g. 吾衣身…吾衣修叱孫丁(隨喜功德)

    h. 於內人衣善陵等沙(上同)

    i. 皆吾衣修孫(普皆遇向)

    j. 吾衣身伊波人有叱下???(上同)

    k. 吾衣願盡尸日置仁伊而也(總結???盡)

위 예에서 보면 삼국유사에 쓰인 「의」는 모두 「矣」로 되어 있고
균여전에 쓰인 「의」는 모두 「衣」로 쓰여 있는데 관형격조사의 본체
는 「矣」인데 균여전에 쓰인 「衣」는 「矣」의 표음적 표기로 보인다.
그런데 특히 「衣」가 삼인칭 대명사의 소유형임을 확인할 수 있는
예는 (1b)의 「哀反多 矣徒良」으로서 「矣徒良」은 「이의 무리들아」

로 풀이되어 「矣」가 삼인칭의 소유형임을 확신할 수 있다. 그뿐 아
니라 다음의 예를 다시 보기로 하자.

(2) a. 矣身 의몸, 矣徒의닉 矣身耳亦 의몸싸녀 矣身向爲良 의몸향
호여 矣徒等 의닉 등. 汝矣身亦 너의 몸이어, 臣矣身等 臣矣
身等伏以顯忠...(儒胥必知)
   b. 他人矣四肢割爲於(大明律)
   c. 他矣奴婢乙自矣奴婢是字樣以妄稱爲在乙良(大明律)
   d. 臣矣父母貴在謀道謀邑地是白多字(巧事新書)
   e. 矣身若不直達則人無有知者矣(癸丑錄)
   g. 矣兄韓瀣家來到爲由宇亦中矣兄方命???命(光海朝日記)
   h. 吳矣妻乙他人亦中價本捧上放賣爲等如...(大明律縱容妻妾犯
姦)

(2a-h)에서 보면 「矣」가 명사 뒤에 쓰이고 있는가 하면 명사 앞
에도 쓰여 있다. 즉 「矣身, 矣徒, 矣徒等, 矣兄, 矣等」 등으로 보
면, 만일 「矣」가 삼인칭 대명사의 소유형이 아니고 관형격조사였다
면 위에 예로 든 말들은 문법적으로 성립이 되지 않는다. 「矣身」은
「이의 몸」으로 보아야 하고 「矣徒」는 「이의 무리」로 보아야 하며
「矣徒等」은 「이의 무리들」로 보아야 한다.
그리고 「矣等」은 「이들」로 보아야 말이 되지 그렇지 않으면 말이
되지 않는다. 그런데 옛말에서 삼인칭 대명사는 비칭에 사용되었으
므로 유서필지에서 보면 「右謹. 啓臣矣段臣矣身等伏以...」 등으로
써서 왕에게 글을 올렸는데 「臣」은 작은 글자로 쓰고 「矣身」 등은

큰 글자를 썼는데 그 뜻은「신 이것들이」가 되는 것이다. 그러므로
「矣身, 矣徒, 矣等」등으로 보아「矣(의)」는 삼인칭 대명사의 관형
격이 틀림없다고 본다. 따라서「他矣, 臣矣, 吾矣」등은「他矣」는
「남 이것의」로 풀어야 하고「臣矣」는「신하 이것의」로 풀어야 하
며「吾矣」는「나 이것」으로 풀어야 한다. 그래야「他, 臣, 吾」를 낮
추어 가리키는 것이 되는 것이다. 즉「矣」는 말할이가 들을이에게
제삼자 식으로 가리켜서 낮추어 말할 때 쓰였던 것이다. 따라서 송
강이「사미인곡」에서「이 몸 삼기실 제」의「이 몸」은 송강이 임금
에 대하여 자기 자신을 제삼자 식으로 가리켜서「이것의 몸」의 뜻
으로 낮추어 한 말이다. 오구라신뻬이도「…이와 같이「矣」는 원
칙으로서 명사 밑에 붙어서「의」의 뜻으로 쓰였으나 후세에 이르러
서 재귀명사로 쓰인 듯하여 위의 명사를 받지 않고 초두에서「矣」
를 써서「자기의」의 뜻을 나타내기에 이르렀다.」하고는,

(3) a. 矣家(자기 집에) 一日宿後(亂中雜錄)
    b. 甲辰年矣母(갑신년 자기의 어머니가) 身死乏時(光海朝日記)

등에 있어서의「矣」가 바로 그 용례라고 하였다(小倉進平, 1935:
429). 오구라는 우리말의 문법을 잘 몰라서「矣」를 재귀대명사라
하였는데 그렇게 되면「右謹 啓臣矣段臣矣身等伏以…」에서 밑줄
그은 부분의 풀이를「신 자기 자신들이 엎드려…」로 풀이하는 것
보다「신 이것들이 엎드려…」로 해석하는 것이 우리말법에 꼭 들
어맞는다고 생각된다. 따라서「矣」는 삼인칭 대명사의 소유격임이
틀림없다고 보아진다. 이러한「矣」가 그 본래의 기능과 의미를 잃

음에 따라 관형격조사로 굳어져 버린 것이다. 다음의 예를 보기로
하자.

(4) a. 臣下ㅣ 말 아니 드러(용비 p.8)

   b. 쇠 머리 ᄀ톨씨(월석 1-274)

   c. 病ᄒ닉 넉시(석보 9-61)

   d. 龍은 고기 中에 위두한 거시니(월석 1-27)

(4a-e)에서 (4c)를 보면 「익」가 삼인칭 대명사의 관형격의 자취
로 볼 수 있다. 왜냐하면 관형사형어미 다음에 「익」가 와 있기 때
문이다. 신라, 고려시대의 「矣」의 자취가 남아 있는 증거라 볼 수
있다. 따라서 오늘날의 관형격조사 「의」는 옛날 삼인칭 대명사의
관형격이었음을 확실히 알 수 있다.

II. 「의」가 주격조사 또는 「주어+용언의 관형사형」 으로 풀이되어 여러 가지 뜻으로 이해되는 예들

1. 「의」가 주격조사 「이/가」로 해석되는 예

〈1〉「의」가 바로 「이/가」로 해석되는 예

(1) 신예와 독창으로써 <u>세계문화의 대 조류에 기여비보할</u> 기회를 유실함이 기하ㅣ뇨

　　= 신예와 독창으로써 <u>세계문화가 대조류에 기여비보할</u> 기회를 유실함이 기하ㅣ뇨

(2) 각계 인격<u>의</u> 정당한 발달을 수하려 하면...

　　= 각계 인격<u>의</u> 정당한 발달을 수하려 하면...

　위 (1)과 (2)의 =의 「가」와 「이」는 「의」와 관계가 있는 말과는 좀 거리가 있다. 즉 (1)의 「의」는 「대조류」에 걸리고 (2)의 앞 「의」는 「정당한 발달」과 관계가 있으나 (1)의 토씨 「가」는 「대조류에 기여비보할 기회를 유실함」에 걸리고 (2)의 토씨 「의」는 「정당한 발달을 수하려 하면...」에 관계가 있으나 「의」를 「이/가」로 바꾸어도 월 전체를 이해하는 데는 별 상관이 없지 않을까 한다. (이하 일일

이 설명하지 않기로 한다)

(3) 나의 살던 고향은 꽃 피는 산골
　= 내가 살던 고향은 꽃 피는 산골

여기서 「내가 살던 나의 고향은 꽃피는 산골」의 본구조에서 「내가」가 줄고 「나의」가 앞으로 와서 (3)이 되었을 것이나 이 글에서 변형에 대해서는 다루지 않기로 하겠다. 이하 모두 같다.

(4) 선생님의 조선어학회 회장으로서의 포부에 대해서 한 말씀 해
　　주세요.
　= 선생님이 조선어학회 회장으로서의 포부에 대해서 한 말씀 해
　　주세요.
(5) 어진 임금님의 백성을 사랑하는 따뜻한 마음과 이런 문자 개혁
　　을 추진한 강한 의지력을 가지신 임금님의 통치철학을 모두 담
　　고 있는 노래라고 생각한다.
　= 어진 임금님이 백성을 사랑하는 따뜻한 마음과 이런 문자 개
　　혁을 추진한 강한 의지력을 가지신 임금님의 통치철학을 모두
　　담고 있는 노래라고 생각한다.
(6) 나의 사랑하는 미국의 동포여!
　= 내가 사랑하는 미국의 동포여!
(7) 선생님의 하신 말씀은 참으로 좋은 교훈이 되었다.
　= 선생님이 하신 말씀은 참으로 좋은 교훈이 되었다.
(8) 아이들의 노는 모습이 예쁘다.
　= 아이들이 노는 모습이 예쁘다.

(9) 고려시대에 이두의 쓰임이 제한된 것은 저를 낮추었다기보다 중세 사회의 필연적 귀결이었다.

　＝ 고려시대에 이두가 쓰임이 제한된 것을 저를 낮추었다기보다 중세 사회의 필연적 귀결이었다.

(10) 석봉의 쓴 글씨는 명필로 유명하다.

　＝ 석봉이 쓴 글씨는 명필로 유명하다.

(11) 아, 생존권의 박탈됨이 무릇 기하이며 심령상 발전의 장애됨이 무릇 기하이며 민족적 조영의 훼손됨이 무릇 기하이며…

　＝ 아, 생존권이 박탈됨이 무릇 기하이며 심령상 발전이 장애됨이 무릇 기하이며 민족적 존영이 훼손됨이 무릇 기하이며…

2. 「의」가 「주어+용언의 관형사형」으로 되는 예

〈1〉 「의」가 「주어+한」으로 이해되는 예

(1) 하이든 위원장의 발언이 그 전조 인지도 모른다.

　＝ 하이든 위원장이 한 발언이 그 전조인지도 모른다.

(2) 하이드 위원장의 지적은 한국 정부의 대북 정책에 대한 미의회의 회의와 불만의 내용이 무엇인지도 확실하게 해 준다.

　＝ 하이드 위원장이 한 지적은 한국 정부의 대북 정책에 대한 미의회의 회의와 불만의 내용이 무엇인지도 확실하게 해 준다.

(3) 청년의 말은 너무 차가워서 소름이 끼칠 지경이었다.

　＝ 청년이 한 말은 너무 차가워서 소름이 끼칠 지경이었다.

(4) 그의 말소리는 또박또박 또렷또렷했고 카랑카랑했다.

　＝ 그가 한 말소리는 또박또박 또렷또렷했고 카랑카랑했다.

(5) 고루 박사의 이 가당찮은 말씀에 힘입은 바 컸다고 하겠다.

= 고루 박사가 한(하신)이 가당찮은 말씀에 힘입은 바 컸다고 하겠다.

(6) 고루 박사의 말씀은 여기서 끝났다.

= 고루 박사가 한(하신) 말씀은 여기서 끝났다.

(7) 50여 명의 '1인 3 연기명'이었던 예선과 달리 본선인 전당대회는 일만 3천명의 대의원들이 1인 2 연기명으로 당 지도부를 선출한다.

= 50여 명이 한 '1인 3 연기명'이었던 예선과 달리 본선인 전당대회는 1만 3천명의 대의원들이 1인 2 연기명으로 당 지도부를 선출한다.

(8) 일제의 감시를 피해 은신했던 곳이다.

= 일제가 한 감시를 피해 은신했던 곳이다.

(9) 러시아 매체의 보도에 따르면…

= 러시아 매체가 한 보도에 따르면…

(10) 세금에 비해 조세 저항도 적기 때문이라는 게 전문가들의 지적이다.

= 세금에 비해 조세 저항도 적기 때문이라는 게 전문가들이 한 지적이다.

(11) 나는 외숙 어른의 이 물음에 말문이 막히고 말았다.

= 나는 외숙 어른이 한(하신)이 물음에 말문이 막히고 말았다.

=의 경우처럼 「외숙 어른이 하신 말씀에 말문이 막히고 말았다」에서처럼 주체존대의 「-시-」를 써야 할 경우는 생략하고 「~이 한」으로 통일하기로 하였다. 왜냐하면 그렇게 되면 항목이 너무 많아

복잡하기 때문이다.

(12) 논어 위령공의 말은 뜻을 전달하면 그뿐이다라는 표현에서 보
듯이...
= 논어 위령공이 한 말은 뜻을 전달하면 그 뿐이다라는 표현에
서 보듯이...

(13) 차기 대선 주자로 외부 인사 영입이 가능하느냐는 본지의 질문
에 부분 부정적으로 답했다.
= 차기 대선 주자로 외부 인사 영입이 가능하느냐는 본지가 한
질문에 부분 부정적으로 답했다.

(14) 죠지 W. 부시 대통령의 취임사 이후 백악관과 국무부 의회까지
한 목소리로 외치는 이 "민주주의 확산론"은 2기의 변화를 상징
하는 징표다.
= 죠지 W. 부시 대통령이 한 취임사 이후 백악관과 국무부 의
회까지 한 목소리로 외치는 이 "민주주의 확산론"은 2기의 변
화를 상징하는 징표다.

(15) 이 책은 그 내용의 양이나 질이 모두 소창 박사의 연구와는 상
대가 되는 것이 아니지요.
= 이 책은 그 내용의 양이나 질이 모두 소창 박사가 한 연구와
는 상대가 디는 것이 아니지요.

(16) 나는 지금도 고루 박사의 말씀을 이렇게 기억하고 있으며...
= 나는 지금도 고루 박사가 한(하신) 말씀을 이렇게 기억하고
있으며...

(17) 고루 박사의 말씀은 하나하나 정말 값진 교훈이었다.
= 고루 박사가 한(하신) 말씀은 하나하나 정말 값진 교훈이었다.

(18) 고루 박사의 말씀은 여기서 끝났고 좌중의 회원들은 박사님의
그 인자하신 얼굴과 겸허하신 말씀에 고개가 숙여졌다.
= 고루 박사가 한(하신) 말씀은 여기서 끝났고 좌중의 회원들은
박사님의 그 인자하신 얼굴과 겸허하신 말씀에 고개가 숙여
졌다.

(19) 이때부터 나는 가람 선생의 분부에 따라 한문 공부에 열중하기
시작했다.
= 이때부터 나는 가람 선생이 한(하신) 분부에 따라 한문 공부
에 열중하기 시작했다.

(20) 선생님의 이 날의 충고는 그후 내게 큰 약이 되었다.
= 선생님이 한(하신)이 날의 충고는 그후 내게 큰 약이 되었다.

(21) 진화의 선택
= 진화가 한 선택

〈2〉 「의」가 「주어+하는」으로 이해되는 예

(1) 우리의 맹서
= 우리가 하는 맹서

(2) 납세자들의 저항에 직면하기 때문에
= 납세자들이 하는 저항에 직면하기 때문에

(3) 우리 제품의 비교우위가 점차 후발 사업자들의 따라잡기 전략에
의해 약화되고 있는 것이다.
= 우리 제품의 비교우위가 점차 후발 사업자들이 하는 따라잡기
전략에 의해 약화되고 있는 것이다.

(4) 결국 정부의 행정 편의주의가 준조세 정비를 가로막고 있다는
얘기다.

= 결국 정부가 하는 행정 편의주의가 준조세 정비를 가로막고
있다는 얘기다.

(5) 일진짱의 참회

= 일진짱이 하는 참회

(6) 그의 행동은 수상하였다.

= 그가 하는 행동은 수상하였다.

(7) 예절 바른 그의 언동 앞에서 교사인 내가 질렸던 것이다.

= 예절 바른 그가 하는 언동 앞에서 교사인 내가 질렸던 것이다.

(8) 나는 그의 언동에서 이 학교의 밝은 장래를 내 겨레의 장래에 결
부시키고 있었던 것이다.

= 나는 그가 하는 언동에서 이 학교의 밝은 장래를 내 겨레의 장
래에 결부시키고 있었던 것이다.

(9) 그의 청이 너무도 간곡했으므로 나는 이해 오월에 남조선대학으
로 자리를 옮겼다.

= 그가 하는 청이 너무도 간곡했으므로 나는 이해 오월에 남조
선대학으로 자리를 옮겼다.

(10) 그것은 곧 다른 겨레의 침입을 막아 내는 것이기도 하다.

= 그것은 곧 다른 겨레가 하는 침입을 막아 내는 것이기도 하다.

(11) 예를 들어 우리의 온라인 게임은 세계 시장에서 1위의 자리를
차지하고 있으나 끊임없는 후발자의 공략으로 점차 입지가 좁
아지고 있다.

= 예를 들어 우리가 하는 온라인 게임은 세계 시장에서 1위의
자리를 차지하고 있으나 끊임없는 후발자가 하는 공략으로
점차 입지가 좁아지고 있다.

(12) 그는 한국 문화를 주제로 하고 175가지 이야기를 성우의 동화

구연으로 들려 주는 등 멀티미디어 기능이 완벽하게 구현돼 있
는 「한글 포닉스」도 이미 출시했다.

= 그는 한국 문화를 주제로 하고 175 가지 이야기를 성우가 하
   는 동화구연으로 들려 주는 등 멀티미디어 기능이 완벽하게
   구현돼 있는 「한글 포닉스」도 이미 출시했다.

(13) 당원들의 선택을 받기가 쉽지 않을 것이라는 설명이었다.

= 당원들이 하는 선택을 받기가 쉽지 않을 것이라는 설명이었다.

(14) 이미 고지를 선점하고 있는 이른바 "영대 권력자"들의 선동에
   놀아나며 비효율적 투자를 마다 않는 대중들

= 이미 고지를 선점하고 있는 이른바 "영대 권력자"들이 하는
   선동에 놀아나며 비효율적 투자를 마다 않는 대중들

(15) 누구와 누구의 대결인지.

= 누구와 누구가 하는 대결인지

(16) 그 얼마나 뼈 아프게 부대낀 세계의 격동의 시기였던가?

= 그 얼마나 뼈 아프게 부대낀 세계가 격동하는 시기였던가?

〈3〉「의」가 「명사+의」 앞의 명사를 주어가 되게 하고 「명사+의」
   가 용언의 관형사형이 되어 그 뒤의 명사를 꾸미며 새로운
   뜻을 나타내는 예

(1) 영화제 성공의 열쇠는 자율성에 있다.

= 영화제가 성공하는 열쇠는 자율성에 있다.

(2) 민족 웅비의 찬스를 망하지 않으려면 제발 이제라도 동시대를
   호흡해야 한다.

= 민족이 웅비하는 찬스를 망하지 않으려면 제발 이제라도 동시
   대를 호흡해야 한다.

(3) 교육은 나라 발전의 근본인데 그 근본인 교육을 우리는 남의 글
과 사상만 죽자고 배웠다고 눈뫼는 뼈아픈 말을 하였다.
= 교육은 나라가 발전하는 근본인데 그 근본인 교육을 우리는 남
의 글과 사상만 죽자고 배웠다고 눈뫼는 뼈아픈 말을 하였다.

(4) 그 속성이 보수적이며 사회 발전의 속도에 뒤쳐질 수밖에 없다.
= 그 속성이 보수적이며 사회가 발전하는 속도에 뒤쳐질 수밖에
없다.

〈4〉「의」가 「주어+된」 또는 「주어+될」로 이해되는 예

(1) 북한에 중도의 길은 없다.
= 북한에 중도가 될 길은 없다.

(2) 100만 평 규모의 M세대 LCD는 내년 상반기 경기도 파주에 100
LCD 생산 단지를 마련한다.
= 100만 평 규모가 되는 M세대 LCD는 내년 상반기 경기도 파주
에 100LCD 생산 단지를 마련한다.

(3) 사실과 다른 보도를 지속하는 매체에 대해 공평한 정보 제공 이
상의 특별회견 기고 협찬 등 별도의 요청에 응하지 않는다는 내
용도 들어 있다.
= 사실과 다른 보도를 지속하는 매체에 대해 공평한 정보 제공
이상이 되는 특별회견 기고 협찬 등 별도의 요청에 응하지 않
는다는 내용도 들어 있다.

(4) 있는 그대로의 우리 존재 가치가 있고 그에 대한 긍지를 갖는 것
이 최상의 우월이요, 강함이요, 올바른 자존심이 아닌가?
= 있는 그대로의 우리 존재 가치가 있고 그에 대한 긍지를 갖는
것이 최상이 되는 우월이요 강함이요 올바른 자존심이 아닌가?

(5) 문제의 미사일 기종에 대한 시험발사가 실패할 경우 해군의 전
   력증강 계획에 큰 차질이 빚어질 것으로 우려된다.
   = 문제가 되는 미사일 기종에 대한 시험 발사가 실패할 경우 해
   군의 전력 증강 계획에 큰 차질이 빚어질 것으로 우려된다.
(6) 최고의 영예에 도전한다.
   = 최고가 되는 영예에 도전한다.
(7) 표현하고자 하는 바대로의 말이 된다.
   = 표현하고자 하는 바대로가 되는 말이 된다.
(8) 차로 인하여 동양 안위의 주축인 사억만 지나인의 일본에 대한
   위구와 시의를 갈수록 농후케 하여...
   = 차로 인하여 동양 안위가 될 주축인 사억만 지나인의 일본에
   대한 위구와 사의를 갈수록 농후케 하여...
(9) 테러와의 전쟁을 위해 미군의 구조를 바꿨고 정보기관을 개혁했
   고 동맹국의 명단도 다시 짰다.
   = 테러와의 전쟁을 위해 미군의 구조를 바꿨고 정보기관을 개혁
   했고 동맹국이 되는 명단도 다시 짰다.
(10) 본선에 선 후보 간 연대로 이외의 결과가 나올 수도 있다.
   = 본선에 선 후보 간 연대로 이외가 될 결과가 나올 수도 있다.
(11) 활발한 연대가 이루어질 경우 이외의 결과가 나올 수도 있다.
   = 활발한 연대가 이루어질 경우 이외가 될 결과가 나올 수도
   있다.
(12) 아직 결코 해방의 기쁨에만 들떠 있을 때가 아닙니다.
   = 아직 결코 해방이 된 기쁨에만 들떠 있을 때가 아닙니다.
(13) 마르크스주의나 김일성 주체사상을 도입하여 미국을 만악의 권
   원으로 승격시켰다.

= 마르크스주의나 김일성 주체사상을 도입하여 미국을 만악이
되는 권원으로 승격시켰다.

(14) 최고의 순간

= 최고가 된 순간

〈5〉「명사+의」가 주어가 되고 그 다음 명사는 목적어가 되며 목
적어 다음 명사는 용언의 관형사형으로 이해되는 예

(1) 일본의 옛 문화 형성 시기인 285년 백제의 왕인 박사는 일본의
초빙으로 천자문과 논어 10권을 가지고 건너가 오오진왕 아들의
스승이 되어 글을 가르쳤다.

= 일본이 옛 문화를 형성한 시기인 285년 백제의 왕인 박사는
일본의 초빙으로 천자문과 논어 10권을 가지고 건너가 오오진
왕 아들의 스승이 되어 글을 가르쳤다.

(2) 김일성의 남침 정당화 주장은 우리를 분노케 하였다.

= 김일성이 남침을 정당화하는 주장은 우리를 분노케 하였다.

3. 「의」가 「주어+음명사형」으로 이해되는 예

(1) 인류적 양심의 발로에 기인한 세계 개조의 기운에 순응병진하기
위하야 차를 제기함이니…

= 인류적 양심이 발로함에 기인한 세계 개조의 기운에 순응병진
하기 위하야 차를 제기함이니…

(2) 책 한 권으로 늘어날 수도 있지마는 그러했을 때의 장황함과 초
점의 흐림으로 인한 효과는 책에 대한 기대를 반감하는 결과를
가져 올 수 있기 때문이다.

= 책 한 권으로 늘어날 수도 있지마는 그러했을 때의 장황함과 초점이 흐려짐으로 인한 효과는 책에 대한 기대를 반감하는 결과를 가져 올 수 있기 때문이다.

(3) 경쟁이 있는 한 평가와 서열의 존재를 원망할 수는 없다.

= 경쟁이 있는 한 평가와 서열이 존재함을 원망할 수는 없다.

(4) 소련과 동구 공산 사회의 몰락으로 유럽의 냉전 체제는 해체됐다.

= 소련과 동구 공산 사회가 몰락함으로써 유럽의 냉전 체제는 해체됐다.

여기서의 「동구 공산 사회의 몰락으로」는 「동구 공산 사회의 몰락 때문에」로 풀어도 좋겠으나 여기서는 「몰락함으로써」로 풀기로 하였다.

4. 「명사+의」가 주어가 되고 그 다음의 명사가 「관형사형+것」으로 되어 목적어가 되는 뜻으로 이해되는 예

(1) 북한의 개방 도와야 분단 극복 가능

= 북한이 개방하는 것을 도와야 분단 극복이 가능하다.

(2) 교육의 측면에서 보자면 1960년대를 거치며 출산률의 저하와 자녀의 교육에 투자할 수입이 늘어날 중산층의 대두가 하나의 요인이겠지만…

= 교육의 측면에서 보자면 1960년대를 거치며 출산률이 저하하는 것과 자녀의 교육에 투자할 수입이 늘어날 중산층이 대두하는 것이 하나의 요인이겠지만…

(3) 하나는 우리 말과 글을 얕잡아 보는 사대주의적 풍조의 확산과

그 결과로써 빚어지는 정치, 경제, 사회, 문화 전 분야에 걸친
대국적 지능의 저하이다.

= 하나는 우리말과 글을 얕잡아보는 사대주의적 풍조가 확산하
는 것과 그 결과로써 빚어지는 정치·경제·사회·문화 전 분야
에 걸친 대국적 지능의 저하이다.

5. 「명사+의」가 주어가 되고 그 다음에 「하는/되는+주
장인/이의」의 형식의 뜻으로 이해되는 예

(1) 노동자 농민의 세상을 만들겠다던 외국 공산주의자들의 "이미
다 지나가 버린 낡아빠진 혁명 이론"을 때늦게나마 흉내라도 내
보겠다는 것이 만날 헛짚고 있다.

= 노동자, 농민의 세상을 만들겠다던 외국 공산주의자들이 하는
짓인 "이미 다 지나가 버린 낡아빠진 혁명 이론"을 때늦게나마
흉내라도 내 보겠다는 것이 만날 헛짚고 있다.

(2) 일본의 40대는 65세까지 정년을 연장한 50대의 뒷바라지나 하
다가 동반 퇴장할 처지다.

= 일본의 40대는 65세까지 정년을 연장한 50대가 되는 이들의
뒷바라지나 하다가 동반 퇴장할 처지다.

6. 「의」가 「주어+하다/되다」 이외의 「주어+용언의 관형
사형」의 형식으로 되어 여러 가지 뜻으로 이해되는 예

여기서는 「되다」, 「하다」와 같이 그 용례가 그리 많지 않은 경우의
여러 용언이 「주어+용언의 관형사형」으로 되는 예를 들기로 한다.

〈1〉「의」가「주어+취한/취하는」으로 이해되는 예

(1) 아시안 월드스트리트 저널지도 11일 한국의 대북 포용정책을 북
한에 대한 현실적인 군사적 선택 수단도 없는 상태에서 워싱턴
의 행동 공간을 제약하고 있다.
= 아시안 월드스트리트 저널지도 11일 한국의 대북 포용정책은
북한에 대한 현실적인 군사적 선택 수간도 없는 상태에서 워
싱턴이 취한 행동 공간을 제약하고 있다.

(2) 고유가, 정부의 무대책과 국민의 무관심
= 고유가, 정부가 취하는 무대책과 국민의 무관심

(3) 사억만 지나인의 일본에 대한 위구와 시의를 갈수록 농후게 하여
그 결과로 동양 전국이 공포 동방의 비운을 초래할 것이 명하니…
= 사억만 지나인이 취한 일본에 대한 위구와 시의를 갈수록 농
후케 하여 그 결과로 동양 전국이 공도 동방의 비운을 초래할
것이 명하니…

(4) 인권 말살과 생명 파괴에의 동참이 80년 5월 미국의 행동과 어
찌 비교가 되겠는가?
= 인권 말살과 생명 파괴에의 동참이 80년 5월 미국이 취한 행
동과 어찌 비교가 되겠는가?

(5) 베이비붐 시대에 대한 최근 일본인들의 태도는 황당하다.
= 베이비붐 시대에 대한 최근 일본이 취하는 태도는 황당하다.

(6) 하이드 위원장의 지적한 한국 정부의 대북 정책에 대한 미의회
의 회의와 불만의 내용이 무엇인지도 확실하게 해 준다.
= 하이드 위원장의 지적한 한국 정부가 취하는 대북 정책에 대
한 미의회의 회의와 불만의 내용이 무엇인지도 확실하게 해
준다.

〈2〉「의」가 「주어+풍기는」의 뜻으로 이해되는 예

(1) 라일락의 향기는 대단하다.

= 라일락이 풍기는 향기는 대단하다.

(2) 아카시아 꽃의 향기는 너무 진하다.

= 아카시아 꽃이 풍기는 향기는 너무 진하다.

〈3〉「의」가 「주어+다니는」의 뜻으로 이해되는 예

(1) 우리의 학교는 국내에서도 유명하다.

= 우리가 다니는 학교는 국내에서도 유명하다.

(2) 철수의 학교는 서울에 있다.

= 철수가 다니는 학교는 서울에 있다.

〈4〉「의」가 「주어+대항할」의 뜻으로 이해되는 예

(1) 한국의 주적이 누구인가를 묻는 미국의 목소리

= 한국이 대항할 주적이 누구인가를 묻는 미국의 목소리

(2) 한국이 미국의 도움이 필요하다면 당신(한국)의 주적이 누구인
지 분명히 해야 한다.

= 한국이 미국의 도움이 필요하다면 당신(한국)이 대항할 주적
이 누구인지 분명히 해야 한다.

〈5〉「의」가 「주어+내는」의 뜻으로 이해되는 예

(1) 한국의 주적은 누구인가를 묻는 미국의 목소리

= 한국의 주적은 누구인가를 묻는 미국이 내는 목소리

여기서의 「의」는 「민국이 말하는」으로 풀어도 괜찮지 않을까?

(2) 국민의 피로 뇌물 챙기더니

= 국민이 내는 피로 뇌물 챙기더니

여기서의 "피"는 "세금"의 뜻으로 이해된다.

〈6〉「의」가 「주어+찬동한」의 뜻으로 이해되는 예

(1) 민주주의 증진 법안이 민주 공화 양당의 고른 지지 속에 상정된 것도 결국 명분이 선의 덕분이다.

= 민주주의 증진 법안이 민주 공화 양당이 찬동한 고른 지지 속에 상정된 것도 결국 명분의 선의 덕분이다.

〈7〉「의」가 「(주어)+저지른」의 뜻으로 이해되는 예

(1) 미국의 지도력은 결국 설득을 통한 공감에서 나온다는 것이 부시의 실수를 통해 깨달은 교훈이기 때문이다.

= 미국의 지도력은 결국 설득을 통한 공감에서 나온다는 것이 부시가 저지른 실수를 통해 깨달은 교훈이기 때문이다.

〈8〉「의」가 「주어+자라는」의 뜻으로 이해되는 예

(1) 테러 조직을 색출해 파괴하는 것보다는 아예 극단주의의 온상이 돼 온 폭정국가들을 민주화시키는 것이 장기적으로 미국 안보에 더 중요하다는 결론에 도달했다.

= 테러 조직을 색출해 파괴하는 것보다는 아예 극단주의가 자라는 온상이 돼 온 폭정국가들을 민주화시키는 것이 장기적으로 미국 안보에 더 중요하다는 결론에 도달했다.

〈9〉「의」가 「주어+지향하는」의 뜻으로 이해되는 예

(1) 나는 그의 언동에서 이 학교의 밝은 장래를 내 겨레의 장례에 결
   부시키고 있었던 것이다.
   = 나는 그의 언동에서 이 학교가 지향하는 밝은 장래를 내 겨레
     가 지향하는 장래에 결부시키고 있었던 것이다.

〈10〉「의」가 「주어+부리는」의 뜻으로 이해되는 예

(1) 하느님의 조화를 누가 알겠느냐?
   = 하느님이 부리는 조화를 누가 알겠느냐?

〈11〉「의」가 「주어+당하는」의 뜻으로 이해되는 예

(1) 아버지 세대들의 노고는 지주에 놀아나는 마름의 굴종처럼 폄하
   되고 무시되었다.
   = 아버지 세대들의 노고는 지주에 놀아나는 마름이 당한 굴종처
     럼 폄하되었다.

〈12〉「의」가 「주어+겪은(겪었던)의 뜻으로 이해되」는 예

(1) 아버지 세대들의 노고는 지주내 놀아나는 마름의 굴종처럼 폄하
   되고 무시되었다.
   = 아버지 세대들이 겪은 노고는 지주에 놀아나는 마름의 굴종처
     럼 폄하되고 무시되었다.
(2) 젊은 베르테르의 슬픔
   = 젊은 베르테르가 겪었던(겪은) 슬픔
(3) 그때부터 8·15까지 약 4년 간의 나의 고독과 괴롬과 공포는 이
   만저만한 것이 아니었다.

= 그때부터 8·15까지 약 4년 간의 내가 겪었던 고독과 괴롬과 공포는 이만저만한 것이 아니었다.

〈13〉「의」가「주어+일으키는」의 뜻으로 이해되는 예

(1) 민주주의 확산론은 2기의 변화를 상징하는 징표다.

= 민주주의 확산론은 2기가 일으키는 변화를 상징하는 징표다.

〈14〉「의」가「주어+다스리는」의 뜻으로 이해되는 예

(1) 한족의 눈으로 스스로를 '기자의 옛 땅' '명나라의 동쪽 울타리'로 보고 있다.

= 한족의 눈으로 스스로를 '기자가 다스린 옛 땅' '명나라의 동쪽 울타리'로 보고 있다.

〈15〉「의」가「주어+생각하는」의 뜻으로 이해되는 예

(1) 세종대왕의 학술에 대한 신념

= 세종대왕이 생각하는 학술에 대한 신념

(2) 부시의 이라크 전쟁 문제도 그리 쉽게 끝나지 않는다.

= 부시가 생각하는 이라크 전쟁 문제도 그리 쉽게 끝나지 않는다.

〈16〉「의」가「주어+나아갈」의 뜻으로 이해되는 예

(1) 우리 겨레의 장래를 생각해야 한다.

= 우리 겨레가 나아갈 장래를 생각해야 한다.

(2) 우리 나라의 앞날을 깊이 생각하여 일을 처리하여야 한다.

= 우리 나라가 나아갈 앞날을 깊이 생각하여 일을 처리하여야 한다.

〈17〉「의」가 「주어+지은(저술한)」의 뜻으로 이해되는 예

(1) 최현배 선생의 우리말본이 없었더라면 우리는 큰사전의 체계를 이렇게 빨리 세울 수도 없었을 것이다.

= 최현배 선생이 지은 우리말본이 없었더라면 우리는 큰사전의 체계를 이렇게 빨리 세울 수도 없었을 것이다.

(2) 우리는 이제 지은이의 역저를 통해 한국어의 특질을 찾기 위해서는 어떻게 해야 하며 한국어의 특질이 될 수 있는 것은 어떤 것인지에 대해 함께 생각해 볼 필요를 느낀다.

= 우리는 이제 지은이가 저술한 역저를 통해 한국어의 특질을 찾기 위해서는 어떻게 해야 하며 한국어의 특질이 될 수 있는 것은 어떤 것인지에 대해 함께 생각해 볼 필요를 느낀다.

〈18〉「의」가 「주어+그린」의 뜻으로 이해되는 예

(1) 솔거의 그림

= 솔거가 그린 그림

(2) 한국은행은 1979년 6월 15일 만원 짜리 종이돈 발행 때부터 김기창의 작품을 근간으로 반신상 초상을 제작하여 현재까지 만원짜리 종이돈에 활용하고 있다.

= 한국은행은 1979년 6월 15일 만원짜리 종이돈 발행 때부터 김기창이 그린 작품을 근간으로 반신상 초상을 제작하여 현재까지 만원짜리 종이돈에 활용하고 있다.

(3) 세종대왕 기념관에 있던 김기창의 작품은 1977년 10월 9일 경기도 여주에 세종대왕 유적관리소가 건립되면서 그 쪽으로 옮겨 가고…

= 세종대왕 기념관에 있던 김기창이 그린 작품은 1977년 10월 9일 경기도 여주에 세종대왕 유적관리소가 건립되면서 그 쪽으

로 옮겨 가고...

〈19〉「의」가「주어+쓴」의 뜻으로 이해되는 예

(1) 한석봉의 천자문

   = 한석봉이 쓴 천자문

(2) 아버지의 편지

   = 아버지가 쓴(쓰신) 편지

〈20〉「의」가「주어+베푼」의 뜻으로 이해되는 예

(1) 나는 그의 성의가 가상해서 내힘으로 감당할 수 없음을 알고서
도 그의 뜻에 따랐다.

   = 나는 그가 베푼 성의가 가상해서 내 힘으로 감당할 수 없음을
알고서도 그가 베푼 뜻에 따랐다.

〈21〉「의」가「주어+주무시는」의 뜻으로 이해되는 예

(1) 아버님의 아침잠을 설치시게까지 하였다.

   = 아버님이 주무시는 아침잠을 설치시게까지 하였다.

(2) 어머님의 낮잠을 방해하는 아이가 있어 조용히 하라고 타일렀다.

   = 어머님이 주무시는 낮잠을 방해하는 아이가 있어 조용히 하라
고 타일렀다.

〈22〉「의」가「주어+나타내는」의 뜻으로 이해되는 예

(1) 최고의 요리의 맛

   = 최고의 요리가 나타내는 맛

〈23〉「의」가 「주어+마음 먹었던」의 뜻으로 이해되는 예

(1) 이것이 나의 20대의 마지막 선언이었다.

= 이것이 내가 마음 먹었던 20대의 마지막 선언이었다.

〈24〉「의」가 「주어+쟁취한」의 뜻으로 이해되는 예

(1) 우리의 승리는 참으로 소중한 것이다.

= 우리가 쟁취한 승리는 참으로 소중한 것이다.

(2) 이차대전에서 미국의 승리는 우리 나라를 해방시켜 주었다.

= 이차대전에서 미국이 쟁취한 승리는 우리 나라를 해방시켜 주었다.

〈25〉「의」가 「주어+주장하는」의 뜻으로 이해되는 예

(1) 최행귀의 언어 이론에 대하여

= 최행귀가 주장한 언어 이론에 대하여

(2) 외솔의 "이다"의 지정사론은 정당하다.

= 외솔이 주장하는 "이다"의 지정사론은 정당하다.

(3) 미국의 육자 회담론은 큰 뜻을 지니고 있다.

= 미국이 주장하는 육자 회담론은 큰 뜻을 지니고 있다.

(4) 눈뫼의 중세어에서의 「오/우」의 일인칭 어미설은 아주 타당하다.

= 눈뫼가 주장하는 중세어에서의 「오/우」의 일인칭 어미설은 아주 타당하다.

〈26〉「의」가 「주어+거행했던」의 뜻으로 이해되는 예

(1) 1932년 윤봉길 의사의 홍구공원 의거 이후 김구 선생이 일제의 감시를 피해 은신했던 곳이다.

= 1932년 윤봉길 의사가 거행했던 홍구공원 의거 이후 김구 선생이 일제의 감시를 피해 은신했던 곳이다.

〈27〉 「의」가 「주어+치는」의 뜻으로 이해되는 예

(1) 야수의 몸부림
= 야수가 치는 몸부림

〈28〉 「의」가 「주어+부르는」의 뜻으로 이해되는 예

(1) 렌의 애가
= 렌이 부르는 애가
(2) 사공의 뱃노래 가물거리며...
= 사공이 부르는 뱃노래 가물거리며...

〈29〉 「의」가 「주어+좋아하는」의 뜻으로 이해되는 예

(1) 그만의 보양식
= 그만이 좋아하는 보양식

위의 예에서 「그만이 좋아하는」을 「그만이 먹는」으로 풀어도 좋을 것이다.

〈30〉 「의」가 「주어+제작하는/제작한」의 뜻으로 이해되는 예

(1) 최수자의 조각
= 최수자가 제작한 조각
(2) 재미교포 작가 바이런 컴의 작품이다.
= 재미교포 작가 바이런컴이 제작한 작품이다.

⟨31⟩ 「의」가 「주어+실시하는」의 뜻으로 이해되는 예

(1) 노동부의 시험 시행 지침의 하나로 현지 수탁 기관은 공공기관 혹은 정부 기관이 내야 한다는 것입니다.

= 노동부가 실시하는 시험 시행 지침의 하나로 현지 수탁 기관은 공공기관 혹은 정부 수탁 기관이어야 한다는 것입니다.

⟨32⟩ 「의」가 「주어+끼치다」의 뜻으로 이해되는 예

(1) 광복 이후 60여 년 동안 방치된 안의사의 유해를 발굴하기 위해선 중국의 협조가 없이는 불가능해 보였다.

= 광복 이후 60여 년 동안 방치된 안의사가 끼친 유해를 발굴하기 위해선 중국의 협조가 없이는 불가능해 보였다.

(2) 이두의 쓰임이 제한된 것은 저를 낮추었다기보다 중세사회의 필연적 귀결이 아니다.

= 이두의 쓰임이 제한된 것은 저를 낮추었다기보다 중세사회가 끼쳤던 필연적 귀결이 아니다.

(3) 구시대의 유물인 침략주의 강권주의의 희생을 작하야…

= 근시대가 끼쳤던 유물인 침략주의 강권주의의 희생을 작하야…

⟨33⟩ 「의」가 「주어+지은/짓는」의 뜻으로 이해되는 예

(1) 부부의 달라진 모습

= 부부가 지은 달라진 모습

(2) 젊은이의 표정이 어느사이 크게 풀려 있었고 눈이 조용히 웃고 있었다.

= 젊은이가 짓는 표정이 어느사이 크게 풀려 있었고 눈이 조용히 웃고 있었다.

〈34〉「의」가「주어+부는/점유하고 있는」의 뜻으로 이해되는 예

(1) 태풍의 세계

    = 태풍이 부는(점유하고 있는), 세계

〈35〉「의」가「주어+자아내는」의 뜻으로 이해되는 예

(1) 음악의 향기

    = 음악이 자아내는 향기

〈36〉「의」가「주어+발휘하는」의 뜻으로 이해되는 예

(1) 유머의 힘

    = 유머가 발휘하는 힘

(2) 기장의 뛰어난 조종술이 참사 막았다.

    = 기장이 발휘한 뛰어난 조종술이 참사 막았다.

〈37〉「의」가「주어+감독하는」의 뜻으로 이해되는 예

(1) 선동열의 삼성 정규 시즌 1위

    = 선동열이 감독하는 삼성 정규 시즌 1위

〈38〉「의」가「주어+흘린」의 뜻으로 이해되는 예

(1) 쌍둥이의 눈물

    = 쌍둥이가 흘린 눈물

〈39〉「의」가「주어+맞이하는」의 뜻으로 이해되는 예

(1) 세상의 아침

    = 세상이 맞이하는 아침

〈40 「의」가 「주어+먹는」의 뜻으로 이해되는 예

(1) 시민의 대표 음식

= 시민이 먹는 대표 음식

〈41〉「의」가 「주어+제시하는」의 뜻으로 이해되는 예

(1) 독일 통일은 강대국의 공동 의사결정

= 독일 통일은 강대국이 제시한 공동 의사 결정

〈42〉「의」가 「주어+열리는」의 뜻으로 이해되는 예

(1) 가곡의 밤

= 가곡이 열리는 밤

〈43〉「의」가 「주어+작곡한」의 뜻으로 이해되는 예

(1) 황인호의 시「고독」에 곡을 붙인 고 윤용하의 가곡이다.

= 황인호의 시「고독」에 곡을 붙인 고 윤용하가 작곡한 가곡이다.

〈44〉「의」가 「주어+다니던」의 뜻으로 이해되는 예

(1) 아나벨의 고등학교 친구

= 아나벨이 다니던 고등학교 친구

여기서의 「의」는 보기에 따라서는 「아나벨과 사귀었던 고등학교 친구」로도 해석할 수 있다.

〈45〉「의」가 「주어+태어난」의 뜻으로 이해되는 예

(1) 아나벨의 고향 필리핀

= 아나벨이 태어난 고향 필리핀

〈46〉「의」가「주어+소리내는」의 뜻으로 이해되는 예

(1) 이 말의 발음이 '노래'인지 '놀애'인지 'nole'인지를 물었던 것이다.

  = 이 말이 소리내는 발음이 '노래'인지 '놀애'인지 'nole' 인지를 물었던 것이다.

〈47〉「의」가「주어+만나다」의 뜻으로 이해되는 예

(1) 이 날이 선생님과 나의 마지막 이별이었다.

  = 이 날이 선생님과 내가 만난 마지막 이별이었다.

(2) 그 날이 A군과 B군의 마지막 작별이었다.

  = 그 날이 A군과 B군이 만난 마지막 작별이었다.

〈48〉「의」가「주어+지배하는」의 뜻으로 이해되는 예

(1) 이 나라를 강제로 빼앗아 그들의 식민지로 삼았던 것입니다.

  = 이 나라를 강제로 빼앗아 그들이 지배하는 식민지로 삼았던 것입니다.

(2) 이번에는 경제란 무기를 싣고 이 땅에 쳐들어 와서 우리 나라를 그들(일본)의 경제적 식민지로 만들고 말 것입니다.

  = 이번에는 경제란 무기를 싣고 이 땅에 쳐들어 와서 우리 나라를 그들(일본)이 지배하는 경제적 식민지로 만들고 말 것입니다.

〈49〉「의」가「주어+만든」의 뜻으로 이해되는 예

(1) 충무공의 거북선

  = 충무공이 만든 거북선

〈50〉「의」가「주어+발명한」의 뜻으로 이해되는 예

(1) 스티븐슨의 증기기관차

   = 스티븐슨이 발명한 증기기관차

(2) 에디슨의 축음기

   = 에디슨이 발명한 축음기

(3) 아인슈타인의 상대성원리

   = 아이슈타인이 발명한 상대성원리

〈51〉「의」가「주어+발견한」의 뜻으로 이해되는 예

(1) 콜럼버스의 미대륙

   = 콜럼버스가 발견한 미대륙

〈52〉「의」가「주어+주는/준」의 뜻으로 이해되는 예

(1) 퀴즈의 즐거움

   = 퀴즈가 주는 즐거움

(2) 그때 나를 일으켜 세운건 바로 그 한 줄의 말이었다.

   = 그때 나를 일으켜 세운건 바로 그 한 줄이 준 말이었다.

(3) 웃음의 힘 … 인생도 바꾼다.

   = 웃음이 주는 힘 … 인생도 바꾼다.

〈53〉「의」가「주어+인식하는」의 뜻으로 이해되는 예

(1) 전쟁을 모르는 세대의 전쟁론

   = 전쟁을 모르는 세대가 인식하는 전쟁론

〈54〉「의」가 「주어+담긴」의 뜻으로 이해되는 예

(1) 북녘에 사랑의 감자꽃 피워요.

　= 북녘에 사랑이 담긴 감자꽃 피워요

〈55〉「의」가 「주어+저작한」의 뜻으로 이해되는 예

(1) 주로 제자들의 작은 논문집 같은 성격이어서 읽는 동안 많은 것
　을 알게 되었다.

　= 주로 제자들이 저작한 작은 논문집 같은 성격이어서 읽는 동
　안 많은 것을 알게 되었다.

〈56〉「의」가 「주어+소원하는(바라는)」의 뜻으로 이해되는 예

(1) 이 나라 이 겨레의 숙원 사업인 일제 잔재 청산 작업엔 어떠한
　성역도 있을 수 없다.

　= 이 나라 이 겨레가 소원하는 숙원 사업인 일제 잔재 청산 작업
　엔 어떠한 성역도 있을 수 없다.

(2) 정복자의 쾌를 탐할 뿐이요, 아의 구원한 사회 기초와 탁탁한 민
　족심리를 무시한다 하야…

　= 정복자의 쾌를 탐할 뿐이요, 우리가 바라는 구원한 사회 기초
　와 탁탁한 민족 심리를 무시한다 하야…

여기서 「아의, 구원한…」의 「아」를 「우리」로 풀어야 현대적 이
해에 합당할 것 같아 그렇게 하였다.

(3) 1200여 년 전 고성지의 꿈이 부활한다.

　= 1200여 년 전 고성지가 바라던 꿈이 부활한다.

(4) 우리의 소원은 통일

= 우리가 바라는 소원은 통일

〈57〉「의」가「주어+부르시는」의 뜻으로 이해되는 예

(1) 매일신보에 게재된「님의 부르심을 받고서」

= 매일신보에 게재된「님이 부르심을 받고서」

〈58〉「의」가「주어+숭배하는」의 뜻으로 이해되는 예

(1) 우리 역사상 겨레의 위인으로 추앙을 받고 있는 선현의 동상이
나 영정을 제작할 때는 정부의 사전심의를 받도록 하였다.

= 우리 역사상 겨레가 숭배하는 위인으로 추앙을 받고 있는 선
현의 동상이나 영정을 제작할 때는 정부의 사전 심의를 받도
록 하였다.

〈59〉「의」가「주어+생긴」의 뜻으로 이해되는 예

(1) 한국어의 기원

= 한국어가 생긴 기원

(2) 일본어의 기원

= 일본어가 생긴 기원

위에서「생긴」과「기원」은 같은 뜻으로 볼 수 있으나「의」를「~
가 생긴」으로 풀어 보았다.

〈60〉「의」가「주어+보는」의 뜻으로 이해되는 예

(1) 기자의 눈

= 기자가 보는 눈

〈61〉 「의」가 「주어+차지하는」의 뜻으로 이해되는 예

(1) 평균 모금액 사립대의 33%

  = 평균 모금액 사립대가 차지하는 33%

(2) 베이비붐 (42~50세)엔 386의 전반이 중첩돼 있다.

  = 베이비붐 (42~50세)엔 386이 차지하는 전반이 중첩돼 있다.

〈62〉 「의」가 「주어+말하는」의 뜻으로 이해되는 예

(1) 언론이 국민의 목소리에 더 가까웠음을 우리는 지난 몇 십 년의
  역사에서 보아 왔다.

  = 언론이 국민이 말하는 목소리에 더 가까웠음을 우리는 지난
  몇 십 년의 역사에서 보아 왔다.

〈63〉 「의」가 「주어+낳은」의 뜻으로 이해되는 때

(1) 우리 겨레는 곰녀의 후예로서 곰겨레라고 하는데 그 곰이 고마
  로 바뀌어 고마겨레라고 한다.

  = 우리 겨레는 곰녀가 낳은 후예로서 곰겨레라고 하는데 그 곰
  이 고마로 바뀌어 고마겨레라고 한다.

〈64〉 「의」가 「주어+옮겨가는」의 뜻으로 이해되는 예

(1) 말의 이동은 우리말 가마니 남비 아만위가 일본말 가마쓰 나베
  아마구이 이며…

  = 말이 옮겨가는 이동은 우리말 가마니, 남비, 아만위가 일본말
  가마쓰 아베, 아마구이이며…

〈65〉「의」가「주어+모시는」의 뜻으로 이해되는 예 (이것은 "관계"를 나타낸다)

(1) 일본 사람의 선조가 되어 일본겨레를 형성했다고 더라이나 야마오는 일본 옛 나라 형성에 관해서 밝히고 있다.

= 일본 사람이 모시는 선조가 되어 일본 겨레를 형성했다고 더라이나 야마오는 일본 옛 나라 형성에 관해서 밝히고 있다.

(2) 소설가 마쓰모도는 「야마토의 조상」에서 "이른바 천손 겨레가 한국에서 한꺼번에 왕성 부근에 건너 오기 전에도 도래인들이 여러 차례 일본으로 건너와 여러 곳에서 집단을 이루고 살았다"고 한다.

= 소설가 마쓰모도는 「야마토(족)가 모시는(받드는) 조상」에서 "이른바 천손 겨레가 한국에서 한꺼번에 왕성 부근에 건너오기 전에도 도래인들이 여러 차례 일본으로 건너와 여러 곳에서 집단을 이루고 살았다"고 한다.

〈66〉「의」가「주어+처리되는」의 뜻으로 이해되는 예

(1) 한자어의 경우는 폐기된 특질에 해당될 것이다.

= 한자어가 처리되는 경우는 폐기된 특질에 해당될 것이다.

〈67〉「의」가「주어+살아가는」의 뜻으로 이해되는 예

(1) 우리 문화는 인간의 근본인 정과 효로부터 시작하여 한글 등의 수 많은 월등함이 있다.

= 우리 문화는 인간이 살아가는 근본인 정과 효로부터 시작하여 한글 등의 수 많은 월등함이 있다.

〈68〉「의」가「주어+강요하는」의 뜻으로 이해되는 예

(1) 즉 약하고 강하고 열등하고 우월함에 따라 자신의 이름까지 타
  인의 뜻대로 쓰게 되었다.

  = 즉 약하고 강하고 열등하고 우월함에 따라 자신의 이름까지
    타인이 요구하는 뜻대로 쓰게 되었다.

〈69〉「의」가「주어+세운」의 뜻으로 이해되는 예

(1) 나나의 기록

  = 나나가 세운 기록

〈70〉「의」가「주어+대하는」의 뜻으로 이해되는 예

(1) 고유가 정부의 무대책, 국민의 무관심

  = 고유가 정부의 무대책, 국민이 대하는 무관심

〈71〉「의」가「주어+이어온」의 뜻으로 이해되는 예

(1) 광복 60년... 한국 음악의 맥

  = 광복 60년...한국 음악이 이어온 맥

〈72〉「의」가「주어+생활하는」의 뜻으로 이해되는 예

(1) 불독의 하루하루「어, 내 모습이네」

  = 불독이 생활하는 하루하루「어, 내 모습이네」

〈73〉「의」가「주어+노는」의 뜻으로 이해되는 예

(1) 대한민국 국회가 국민의 놀이터가 됐다.

  = 대한민국 국회가 국민이 노는 놀이터가 됐다.

〈74〉「의」가「주어+강행한」의 뜻으로 이해되는 예

(1) 식민지 시대에 일본의 무참한 강요에 의한 것이었지만, 지금의
서양말 오염은 우리 스스로가 그것도 소위 지성인들이 앞다투어
가면서 국민 자존심을 망각하고 우리말을 욕되게 하고 있다는
것을 의식했으면 한다.

= 식민지 시대에 일본이 강행한 무참한 강요에 의한 것이었지만
지금의 서양말 오염은 우리 스스로 그것도 소위 지식인들이
앞다투어 가면서 국민 자존심을 망각하고 우리말을 욕되게 하
고 있다는 것을 의식했으면 한다.

〈75〉「의」가「주어+입던」의 뜻으로 이해되는 예

(1) 이유는 어떻든 남의 옷을 빌려 입고 허식 치레를 하면서 유식한
것처럼 으스대기 좋아하는 속없는 짓을 하는 경우와 같다.

= 이유는 어떻든 남이 입던 옷을 빌려 입고 허식 치레를 하면서
유식한 것처럼 으스대기 좋아하는 속없는 짓을 하는 경우와
같다.

〈76〉「의」가「주어+노려보는」의 뜻으로 이해되는 예

(1) 우리는 우리말을 지키는 마지막 버팀목이라는 것을 한때라도 잊
어서는 안 된다고, 일본 경찰의 눈이 시퍼렇게 번득이고 있다는
것을 잘 알고 있으면서도 새삼스럽게 다짐한 것도 이 때문이었다.

= 우리는 우리말을 지키는 마지막 버팀목이라는 것을 한때라도
잊어서는 안 된다고 일본 경찰이 노려보는 눈이 시퍼렇게 번
득이고 있다는 것을 잘 알고 있으면서도 새삼스럽게 다짐한
것도 이 때문이었다.

〈77〉「의」가「주어+남긴」의 뜻을 이해되는 예

(1) 감옥에 간 선배들의 빈 자리를 채우기 위해서 공채로 뽑힌 신인
아나운서들은 2주일 동안의 방송실무 연수를 마치고 나가려는
참이었다.
= 감옥에 간 선배들이 남긴 빈 자리를 채우기 위해서 공채로 뽑
힌 신인 아나운서들은 2주일 동안의 방송 실무 연수를 마치고
나가려는 참이었다.

〈78〉「의」가「주어+주장한」의 뜻으로 이해되는 예

(1) 그것이 정치인의 인생을 다 건 과제가 되려면 이승만의 '독립과
건국' 박정희의 '경제 건설' 김대중의 '남북 대화'와 같이 국민의
뇌리에 동의어로 각인되어야 한다.
= 그것이 정치인의 인생을 다 건 과제가 되려면 이승만이 주장
한 「독립과 건국」 박정희가 주장한 「경제 건설」, 김대중이 주
장한 「남북 대화」와 같이 국민의 뇌리에 동의어로 각인되어야
한다.

〈79〉「의」가「주어+존경하는」의 뜻으로 이해되는 예

(1) 우리 겨레의 첫손 꼽는 위인이 아닙니까?
= 우리 겨레가 존경하는 첫손 꼽는 위인이 아닙니까?

〈80〉「의」가「주어+걸어온」의 뜻으로 이해되는 예

(1) 우리 학회의 역사를 돌이켜 보면 다섯 시기로 나눌 수 있습니다.
= 우리 학회가 걸어온 역사를 돌이켜 보면 다섯 시기로 나눌 수
있습니다.

⟨81⟩ 「의」가 「주어+흘러온」의 뜻으로 이해되는 예

(1) 제5기는 국어학의 정통성에 세계 언어학의 조류를 접목시키는 데 고심했던 1971년부터 지금까지입니다.

= 제5기는 국어학의 정통성에 세계 언어학이 흘러온 조류를 접목시키는 데 고심했던 1971년부터 지금까지입니다.

⟨82⟩ 「의」가 「주어+다하는」의 뜻으로 이해되는 예

(1) 우리 학회 회원의 학회 발전을 위한 정성은 이 큰 일을 반드시 성공적으로 이루어 낼 것으로 믿습니다.

= 우리 학회 회원이 다하는 학회 발전을 위한 정성은 이 큰 일을 반드시 성공적으로 이루어 낼 것으로 믿습니다.

⟨83⟩ 「의」가 「주어+자행하는」의 뜻으로 이해되는 예

(1) 이 문제가 영어 권력층의 매우 의도적인 방치와 부도덕함에서 비롯되는 정치적인 요소를 아주 강하게 담고 있다면 이는 정치적 투쟁을 통한 영어 권력층의 타파 없이는 제도 개선으로 이어지기 힘든 것 아닐까?

= 이 문제가 권력층이 자행하는 매우 이도적인 방치와 부도덕함에서 비롯되는 정치적인 요소를 아주 강하게 담고 있다면 이는 정치적 투쟁을 통한 영어 권력층의 타파 없이는 제도 개선으로 이어지기 힘든 것 아닐까?

(2) 김정일의 학살과 인권유린에 의하는 사람들의 입을 막아 나서고 있는 사람이 누구인가? 별의별 이야기로 김정일 정권의 야만통치를 보호하고 있는 사람은 누구인가?

= 김정일이 자행하는 학살과 인권유린에 항의하는 사람들의 입을

막아 나서고 있는 사람이 누구인가? 별의별 이야기로 김정일 정권이 자행하는 야만통치를 보호하고 있는 사람은 누구인가?

〈84〉「의」가 「주어+가진(가지는)」의 뜻으로 이해되는 예

(1) 특히 대사관 측은 장 교수가 언급한 넬슨 만델라 전 대통령과 타보 음베키 대통령 등의 이름이 「다른 국가의 명성을 훼손하는 일에 사용돼서는 안 된다」고 못 박았다.

= 특히 대사관 측은 장 교수가 언급한 넬슨 만델라 전 대통령과 타보 음베키 대통령 등이 가진 이름이 「다른 국가의 명성을 훼손하는 일에 사용돼서는 안 된다」고 못 박았다.

(2) 안전 농산물 생산, 우리 농업의 경쟁력

= 안전 농산물 생산, 우리 농업이 갖는 경쟁력

(3) 참치의 다양한 부위의 판매

= 참치가 가지는 다양한부위의 판매

(4) 차로 인하여 동양 안위의 주축인 사억만 지나인의 일본에 대한 위구와 시의를 갈수록 농후케 하여…

= 차로 인하여 동양 안위의 주축인 사억만 지나인이 갖는 일본에 대한 위구와 시의를 갈수록 농후케 하여…

〈85〉「의」가 「주어+받을」의 뜻으로 이해되는 예

(1) 그녀의 프리미엄

= 그녀가 받을 프리미엄

〈86〉「의」가 「주어+일어나는」의 뜻으로 이해되는 예

(1) 대변화의 시작

= 대변화가 일어나는 시작

〈87〉「의」가 「주어+넘치는」의 뜻으로 이해되는 예

(1) 희망의 집 지어 드립니다.

= 희망이 넘치는 집 지어 드립니다.

〈88〉「의」가 「주어+받드는」의 뜻으로 이해되는 예

(1) 배달의 왕 이상민

= 배달이 받드는 왕 이상민

〈89〉「의」가 「주어+부린」의 뜻으로 이해되는 예

(1)「디지털 인화」그의 손길에 대가들 사진은 빛이 났다.

=「디지털 인화」그가 부린 손길에 대가들 사진은 빛이 났다.

〈90〉「의」가 「주어+내쉬는」의 뜻으로 이해되는 예

(1) 불법 진리를 쫓는 구도자의 숨결을 따라

= 불법 진리를 쫓는 구도자가 내쉬는 숨결을 따라

〈91〉「의」가 「주어+마음에 품고 있는」의 뜻으로 이해되는 예

(1) 장 선생님의 뜻을 잘 알고 있는 학생들은 고개를 숙이고 숨을 죽인 채 조용히 듣고만 있었다.

= 장 선생님이 마음에 품고 있는 뜻을 잘 알고 있는 학생들은 고개를 숙이고 숨을 죽인 채 조용히 듣고만 있었다.

⟨92⟩「의」가「주어＋이룩한」의 뜻으로 이해되는 예

(1) 나의 성공

= 내가 이룩한 성공

(2) 뭐니뭐니 해도 최현배 선생의 공이 크다고 하겠습니다.

= 뭐니뭐니 해도 최현배 선생이 이룩한 공이 크다고 하겠습니다.

(3) 스승의 학문을 익힌 제자가 거기에서 빠져 나오기가 얼마나 어
렵나를 깨우치게 되어…

= 스승님이 이룩한 학문을 익힌 제자가 거기에서 빠져 나오기가
얼마나 어렵나를 깨우치게 되어…

(4) 우리들의 보람이다.

= 우리들이 성취한(이룩한)보람이다.

⟨93⟩「의」가「주어＋누리는」의 뜻으로 이해되는 예

(1) 금보라의 행복한 웨딩마치

= 금보라가 누리는 행복한 웨딩마치

⟨94⟩「의」가「주어＋머문」의 뜻으로 이해되는 예

(1) 우리들의 숙소는 대단히 좋은 기와집이었다.

= 우리들이 머문 숙소는 대단히 좋은 기와집이었다.

⟨95⟩「의」가「주어＋흘러가는」의 뜻으로 이해되는 예

(1) 시간의 흐름 속에서

= 시간이 흘러가는 흐름 속에서

위 (1)의 기본 구조는「시간이 흘러가는 속에서」인데「시간이」「시

간의」로 되면서 「흘러가는」이 「흐름」으로 바뀌고 「속에서」와 합쳐서 (1)의 월이 된 것이다.

〈96〉 「의」가 「주어+개발한」의 뜻으로 이해되는 예

(1) 당신을 위한 DMB, 삼성의 디지털 기술로 만듭니다.

= 당신을 위한 DMB, 삼성이 개발한 디지털 기술로 만듭니다.

〈97〉 「의」가 「주어+연주하는」의 뜻으로 이해되는 예

(1) KBS 교향악단 올 정기 연주회 펜테러츠키의 「부활」 아시아 초연

= KBS 교향악단 올 정기 연주회 펜테러츠키가 연주하는 「부활」 아시아 초연

〈98〉 「의」가 「주어+사는(사시는)」의 뜻으로 이해되는 예

(1) 박사님의 댁은 학회에서 가까웠다.

= 박사님이 사시는 댁은 학회에서 가까웠다.

〈99〉 「의」가 「주어+시킨(시키는)」의 뜻으로 이해되는 예

(1) 유 선생의 심부름을 왔다는 말을 들으시고…

= 유 선생이 시킨 심부름을 왔다는 말을 들으시고…

〈100〉 「의」가 「주어+부른」의 뜻으로 이해되는 예

(1) 나는 김하득 교장의 부름을 받아 동중에 부임하였다.

= 나는 김하득 교장이 부른 부름을 받아 동중에 부임하였다.

여기서는 「의」 뒤의 말과 같은 뜻을 나타낸다.

〈101〉 「의」가 「주어+묻는」의 뜻으로 이해되는 예

(1) 그의 물음은 싸늘했고 겁이 버럭났다.

= 그가 묻는 물음은 싸늘했고 겁이 버럭났다.

여기서의 「묻는」은 그 뒤의 「물음」과 같은 뜻의 말로 이해되는데 경우에 따라서는 「그가 한 물음은 싸늘했고 겁이 버럭 났다」로도 풀이할 수 있다.

〈102〉 「의」가 「주어+먹은」의 뜻으로 이해되는 예

(1) 당신의 나이도 이미 36입니다.

= 당신이 먹은 나이도 이미 36입니다.

〈103〉 「의」가 「주어+사용한」의 뜻으로 이해되는 예

(1) 고려인의 언어는 고려인의 기구한 역사를 말해 준다.

= 고려인이 사용한 언어는 고려인의 기구한 역사를 말해 준다.

〈104〉 「의」가 「주어+부르짖는(외치는)」의 뜻으로 이해되는 예

(1) 국민의 함성

= 국민이 부르짖는 함성

(2) 반미의 열풍이 불게 하자던 시대의 호소는 이제 상식처럼 되었다.

= 반미의 열풍이 불게 하자던 시대가 부르짖던 호소는 이제 상식처럼 되었다.

〈105〉 「의」가 「주어+내린」의 뜻으로 이해되는 예

(1) 반당 반혁명 분자들을 조국의 이름으로 사형에 처단한다고 판결

문을 낭독했다고 한다.

= 반당 반혁명 분자들을 조국이 내리는 이름으로 사형에 처단한

다고 판결문을 낭독했다고 한다.

(2) 이번 검열은 김정일의 특별 지시로 이뤄졌다고 말했다.

= 이번 검열은 김정일이 내린 특별지시로 이뤄졌다고 말했다.

(3) 是ㅣ 天의 明命이며 時代의 大勢ㅣ이며 全人類 共存 同生의 正

當한 발동이다.

= 是ㅣ 天이 내린 明命이며 時代의 大勢ㅣ며 全人類 共存 同生

의 正當한 발동이다.

〈106〉「의」가「주어+비치는」의 뜻으로 이해되는 예

(1) 신문명의 서광을 인류의 역사에 투사하기 시하도다.

= 신문명이 비치는 서광을 인류의 역사에 투사하기 시하도다.

여기서 「비치는」을 「비추는」으로 풀어도 괜찮을 듯하다.

〈107〉「의」가「주어+각성한」의 뜻으로 이해되는 예

(1) 이는 근대적 민족 국가의 민족의식에서 중화사상에 물든 말글

의식을 비판하고 있는 것이다.

= 이는 근대적 민족 국가가 각성한 민족 의식에서 중화 사상에

물든 말글 의식을 비판하고 있는 것이다.

〈108〉「의」가「주어+느끼는」의 뜻으로 이해되는 예

(1) 특정 나이대를 대표하는 사람들의 느낌을 대신하여 표현하는 사

람이라 생각해 왔다.

= 특정 나이대를 대표하는 사람들이 느끼는 느낌을 대신하여 표현하는 사람이라 생각해 왔다.

여기의 「사람들이 느끼는」은 바로 그 뒤의 「느낌」과 같은 뜻을 나타낸다.

〈109〉 「의」가 「주어+처한」의 뜻으로 이해되는 예

(1) 당신의 몸 사정으로는 인제 부산에 내려가시기는 불가능하고 해서 나더러 다녀가라는 말씀이었다.

= 당신이 처한 몸 사정으로는 인제 부산에 내려가시기는 불가능하고 해서 나더러 다녀가라는 말씀이었다.

〈110〉 「의」가 「주어+부여하는」의 뜻으로 이해되는 예

(1) 사대는 자연의 질서에 따르는 사회의 질서이며 보편적인 예라고 선정되었다.

= 사대는 자연이 부여하는 질서에 따르는 사회의 질서이며 보편적인 예라고 선정되었다.

〈111〉 「의」가 「주어+펼치는」의 뜻으로 이해되는 예

(1) 미국과 남조선 괴로들의 발악적인 반공화국 소동으로 준엄한 이때…

= 미국과 남조선 괴로들이 펼치는 발악적인 반공화국 소동으로 준엄한 이때…

〈112〉「의」가「주어+작성한」의 뜻으로 이해되는 예

(1) 조세연구원의 기업의 준조세 부담과 정책 방향 보고서에 따르면…

= 조세연구원이 작성한 기업의 준조세 부담과 정책 방향 보고서에 따르면…

〈113〉「의」가「주어+지배하는」의 뜻으로 이해되는 예

(1) 위력의 시대가 거하고 도의의 시대가 내하도다.

= 위력이 지배하는 시대가 거하고 도의가 지배하는 시대가 내하도다.

〈114〉「의」가「주어+앓았던」의 뜻으로 이해되는 예

(1) 현대 의학에서는 세종의 고질병이 소갈증에서 비롯된 합병증인 것으로 보고 있다.

= 현대 의학에서는 세종이 앓았던 고질병이 소갈증에서 비롯된 합병증인 것으로 보고 있다.

〈115〉「의」가「주어+빚어내는(이루어 내는)」의 뜻으로 이해되는 예

(1) 추상과 추억의 '색 깊은 만남'

= 추상과 추억이 빚어내는 '색 깊은 만남'

〈116〉「의」가「주어+당면한(당면할)」의 뜻으로 이해되는 예

(1) '도덕성과 민주성' 잃어가는 노동운동의 위기.

= '도덕성과 민주성' 잃어가는 노동운동이 당면한 위기

〈117〉 「의」가 「주어=행하였던」의 뜻으로 이해되는 예

(1) 80년 5월 미국의 행동과 어찌 비교가 되겠는가?
= 80년 5월 미국이 행하였던 행동과 어찌 비교가 되겠는가?

여기서의 「행하였던」을 「취하였던」으로 풀어도 좋을 듯하다.

〈118〉 「의」가 「주어+입은」의 뜻으로 이해되는 예

여기서의 「입은」은 「옷을 입다」 할 때의 「입다」와 뜻이 다름에 유의하여야 한다.

(1) 이것은 부시 행정부의 세계 인식 기반이 9·11 테러로 무너진 뉴욕 세계무역센터의 폐허에서 벗어나 자유의 여신상으로 옮아갔음을 의미한다.
= 이것은 부시 행정부의 세계 인식 기반이 9·11 테러로 무너진 뉴욕 세계무역센터가 입은 폐허에서 벗어나 자유의 여신상으로 옮아갔음을 의미한다.

〈119〉 「의」가 「주어+인정하는」의 뜻으로 인정되는 예

(1) 테러전의 명분으로는 국제사회의 공감을 충분히 이끌어 낼 수 없었던 한계에 대한 대안을 민주주의에서 찾았다.
= 테러전의 명분으로는 국제사회가 인정하는 공감을 충분히 이끌어 낼 수 없었던 한계에 대한 대안을 민주주의에서 찾았다.

〈120〉 「의」가 「주어+노력하는」의 뜻으로 이해되는 예

(1) 우리 제품의 비교 우위가 점차 후발 사업자의 따라잡기 전략에

의해 약화되고 있는 것이다.

= 우리 제품의 비교 우위가 점차 후발 사업가가 노력하는 따라잡기 전략에 의해 약화되고 있는 것이다.

〈121〉「의」가「주어+명령한」의 뜻으로 이해되는 예

(1) 이 대통령의 한글 간소화안이 발표되자 학계가 획 뒤집혔다.

= 이 대통령이 명령한 한글 간소화 안이 발표되자 학계가 획 뒤집혔다.

〈122〉「의」가「주어+주도할」의 뜻으로 이해되는 예

(1) 민주주의는 미국의 리더쉽 회복을 위한 슬로건이 되었으며…

= 민주주의는 미국이 주도할 리더쉽 회복을 위한 슬로건이 되었으며

〈123〉「의」가「주어+사랑하는」의 뜻으로 이해되는 예

(1) 나의 애인

= 내가 사랑하는 애인

(2) 우리의 S B S

= 우리가 사랑하는 S B S

(3) 나의 조국

= 내가 사랑하는 조국

〈124〉「의」가「주어+나는」의 뜻으로 이해되는 예

(1) 추억의 교실

= 추억(이) 나는 교실

7. 「의」가 「주어+서술구의 관형사형」의 구조로 되어 여러 가지 뜻으로 이해되는 예

〈1〉「의」가 「주어+하고 있는」의 뜻으로 이해되는 예

(1) 한국 정부의 대북 정책에 대한 미의회의 회의와 불만의 내용이 무엇인지도 확실하게 해 준다.

= 한국 정부가 하고 있는 대북 정책에 대한 미의회의 회의와 불만의 내용이 무엇인지도 확실하게 해 준다.

〈2〉「의」가 「주어+꾀하고 있는」의 뜻으로 이해되는 예

(1) 과도한 대북 지원이 북한의 핵위협을 부추기고 있다는 하이드 위원장의 지적은 한국 정부의 대북 정책에 대한 미의회의 회의와 불만의 내용이 무엇인지도 확실하게 해 준다.

= 과도한 대북 지원이 북한이 꾀하고 있는 핵 위협을 부추기고 있다는 하이드 위원장의 지적은 한국 정부의 대북 정책에 대한 미의회의 회의와 불만의 내용이 무엇인지도 확실하게 해 준다.

여기서의 「꾀하고 있는」보다는 「위협하고 있는」으로 풀어야 할 것 같으나 그 뒤에 「핵 위협」이 있으므로 좀 부자연스럽다. 또 달리 「북한이 하고 있는」 또는 「북한이 겨누고 있는」 등으로도 풀 수 있겠으나 부득이 위와 같이 풀기로 하였다.

〈3〉「의」가 「주어+하고자 하는」의 뜻으로 이해되는 예

(1) 한국과 중국 정부의 과도한 대북지원 정책이 북한의 핵 협박을 오히려 부추기고 있다.

= 한국과 중국 정부의 과도한 대북지원 정책이 북한이 하고자
하는 핵 협박을 오히려 부추기고 있다.

〈4〉「의」가 「주어+원조하여 주는」의 뜻으로 이해되는 예

(1) 한국이 미국의 도움이 필요하다면 당신의 주적이 누구인지 분명
히 하여야 한다.

= 한국이 미국이 원조하여 주는 도움이 필요하다면 당신의 주적
이 누구인지 분명히 하여야 한다.

〈5〉「의」가 「주어+베풀고 있는」의 뜻으로 이해되는 예

(1) 미국의 지도력은 결국 설득을 통한 공감에서 나온다는 것이 부
시 1기의 실수를 통해 깨달은 교훈이기 때문이다.

= 미국이 베풀고 있는 지도력은 결국 설득을 통한 공감에서 나온
다는 것이 부시 1기의 실수를 통해 깨달은 교훈이기 때문이다.

(1)에서 「의」는 보기에 따라서는 「미국이 하고 있는 지도력은…」
으로도 풀이 될 수 있을 것 같고 또는 「미국이 펴고 있는 지도력…」
으로도 풀이될 수 있지 않을까 생각된다.

〈6〉「의」가 「주어+생각하고 있는」의 뜻으로 이해되는 예

(1) 이것은 부시 행정부의 세계인식 기반이 9·11 테러를 무너진 뉴
욕 세계무역센터의 폐허에서 벗어나 자유의 여신상으로 옮아갔
음을 의미한다.

= 이것은 부시 행정부가 생각하고 있는 세계 인식 기반이 9·11
테러로 무너진 뉴욕 세계무역센터의 폐허에서 벗어나 자유의

여신상으로 옮아갔음을 의미한다.

(1)의 「의」는 「부시 행정부가 가지고 있는 세계 인식 기반...」으로도 이해할 수 있겠고 또는 「부시 행정부가 느끼고(이해하고) 있는...」으로도 풀이가 가능할 것 같다.

〈7〉「의」를 「~이 거만하게 구는」으로 풀 수 있는 예
(1) 일본 민족의 콧대를 깎아내린 통쾌한 저서지요
　　= 일본민족이 거만하게 구는 콧대를 깎아내린 통쾌한 저서지요.

〈8〉「의」를 「~이 가지고 있는」으로 풀 수 있는 예
(1) 더구나, 이 책은 그 내용의 양이나 질이 모두 오꾸라 박사의 연구와는 상대가 되는 것이 아니지요.
(2) 선생님의 조선어학회 회장으로서의 포부에 대하여 말씀해 주시지요.
(3) 두 분의 기국(스케일)은 이렇게 크게 달랐다.
(4) 겨레에도 그 사막의 지하수같이 변하지 않고 흐르는 '겨레의 마음'이 있다. 그 '겨레의 마음'을 언제나 싱싱하고 힘차게 뒷받침해 주는 것이 우리말이다. 다시 말해서 우리 겨레의 마음을 할아버지가 아들에게 아들이 손자에게 손자가 증손자에게 내리내리 이어 주는 것이 바로 우리말의 '본디 우리말'이다.

위의 (1)~(4)까지를 줄여서 말하면 「소유」가 될 것이다.

〈9〉「의」가「주어+가져 올」의 뜻으로 이해되는 예

(1) 조지 W 부시 대통령의 취임사 이후 백악관과 국무부 의회까지
한 목소리리로 외치는 이 "민주주의 환상론"은 2기의 변화를 상
징하는 징표이다.

= 조지 W. 부시 대통령의 취임사 이후 백악관과 국무부 의회까
지 한 목소리로 외치는 이 "민주의 환상론"은 2기가 가져 올
변화를 상징하는 징표이다.

〈10〉「의」가「주어+가지고 있었던」의 뜻으로 이해되는 예

(1) 오직 모국말에 대한 나의 가당찮은 사랑 이외에 아무것도 아니
었던 것 같다.

= 오직 모국말에 대한 내가 가지고 있었던 가당찮은 사랑 이외
에 아무것도 아니었던 것 같다.

(2) 왜경들의 (=왜경들이 가지고 있었던) 나에 대한 의심의 눈은 날
이 갈수록 더해 갔으며 그 고독, 그 괴롬, 그 공포, 이는 나에게
는 너무나 큰 대가였다.

〈11〉「의」가「주어+짓고(하고) 있는(있던, 있었던)」의 뜻으로 이
해되는 예」

(1) 나는 대번에 그의 얼굴 표정을 읽을 수 있다.

= 나는 대번에 그가 짓고(하고) 있는 얼굴 표정을 읽을 수 있다.

(2) 나는 영희의 얼굴에서 그녀의 마음을 알 수 있었다.

= 나는 영희가 짓고(하고)있던 얼굴에서 그녀의 마음을 알 수 있
었다.

〈12〉「의」가 「주어+처해 있는(있었던)」의 뜻으로 이해되는 예

(1) 조국의 어두운 장래에 대하여 우리는 다 같이 속으로 떨고 있었던 것이다.

= 조국이 처해 있는 어두운 장래에 대하여 우리는 다 같이 속으로 떨고 있었던 것이다.

(2) 우리의 입장

= 우리가 처해 있는 입장

〈13〉「의」가 「주어+하여 주신」의 뜻으로 이해되는 예

(1) 유열 선생의 소개로 인사를 나눈 적이 있을 뿐인 사이었다.

= 유열 선생이 하여 주신 소개로 인사를 나눈 적이 있을 뿐인 사이었다.

(2) 현재 미국의 지원을 받는 남한의 정보, 첩보 능력은 북한에 비해 몇 단계 위라는 평가다.

= 현재 미국이 하여 주는 지원을 받는 남한의 정보, 첩보 능력은 북한에 비해 몇 단계 위라는 평가다.

〈14〉「의」가 「주어+만들어 낸」(주어+이루어 낸)의 뜻으로 이해되는 예

(1) 유학의 경전에 뿌리를 둔 화이관계의 정치적 측면인 조공-책봉 질서에 따르면 우리는 중국의 울타리가 된다.

= 유학이 만들어낸(이루어 낸) 경전에 뿌리를 둔 화이관계의 정치적 측면인 조공-책봉 질서에 따르면 우리는 중국의 울타리가 된다.

〈15〉「의」가 「주어+겪고 있는」의 뜻으로 이해되는 예

(1) 어린 백성의 어려움을 헤아려 우리 말에 맞는 문자를 만드셨다.

= 어린 백성이 겪고 있는 어려움을 헤아려 우리 말에 맞는 문자를 만드셨다.

(2) 서민들의 참된 생활고를 정부가 알 리 없다.

= 서민들이 겪고 있는 참된 생활고를 정부가 알 리 없다.

(3) 농민들의 어려운 생활을 누가 알아 줄까?

= 농민들이 겪고 있는 어려운 생활을 누가 알아 줄까?

〈16〉「의」가 「주어+말하여 준(주신)」의 뜻으로 이해되는 예

(1) 지금도 그때 주신 선배님의 충고를 잊지 않고 있다.

= 지금도 그때 주신 선배님이 말하여 주신 충고를 잊지 않고 있다.

여기서는 「주신」이 두 번 거듭되니까 좀 이상하게 느껴지나 그렇게 풀어야 옳을 것 같다.

(2) 고루 이극로 박사의 교훈

= 고루 이극로 박사가 말하여 주신 교훈

〈17〉「의」가 「주어+수행하여야 할」의 뜻으로 이해되는 예

(1) 한미 간에는 주한 미군의 역할 문제를 놓고 새로운 갈등 조짐까지 일고 있다.

= 한미 간에는 주한 미군이 수행하여야 할 역할 문제를 놓고 새로운 갈등 조짐까지 일고 있다.

〈18〉「의」가「주어+쓰고 있던(있는)」의 뜻으로 이해되는 예

(1) 고려인의 언어는 고려인의 기구한 역사를 말해 준다.

  = 고려인이 쓰고 있던 언어는 고려인의 기구한 역사를 말해 준다.

〈19〉「의」가「주어+만이+알고 있는」의 뜻으로 이해되는 예

(1) 매출을 끌어 올린 그들만의 비밀

  = 매출을 끌어 올린 그들만이 알고 있는 비밀

〈20〉「의」가「주어+져야(부담하여야) 할」의 뜻으로 이해되는 예

(1) 반인륜 범죄와 일본의 법적 책임

  = 반인륜 범죄와 일본이 져야 할(부담하여야 할) 법적 책임

〈21〉「의」가「주어+다스리고 있는」의 뜻으로 이해되는 예

(1) 남북의 체제 차이를 따지기 전에 상식의 문제다.

  = 남북이 다스리고 있는 체제 차이를 따지기 전에 상식의 문제다.

〈22〉「의」가「주어+실시(시행)하고 있는」의 뜻으로 이해되는 예

(1) 북한 당국이 남한 기업의 인사 문제에까지 감놔라 배놔라 하는
  건 말이 안 된다.

  = 북한 당국이 남한 기업이 실시하고 있는(시행하고 있는) 인사
  문제에까지 감놔라, 배놔라 하는 건 말이 안 된다.

**〈23〉「의」가「주어+하여야 할/하고자 하는」의 뜻으로 이해되는
  예**

(1) 8000여 명의 관광을 취소했다.

= 8000여 명이 하여야 할(하고자 하는) 관광을 취소했다.

(2) 해방 60년사에 대한 우리 사회의 이해와 평가가 뚜렷이 양분되어 있기 때문이다.

= 해방 60년사에 대한 우리 사회가 하여야 할 이해와 평가가 뚜렷이 양분되어 있기 때문이다.

〈24〉 「의」가 「주어+누려야 할」의 뜻으로 이해되는 예

(1) 어렵사리 성사한 대통령과 야당 대표의 대화라면 적어도 경제를 비롯한 국민의 삶의 문제, 이념 갈등을 탈피하는 등의 국민 화합의 문제 등 남북문제, 세계 속의 한국을 모색하는 세계화 문제 그리고 한미관계 등 안보 문제가 폭넓게 논의되어야 할 것 아닌가?

= 어렵사리 성사한 대통령과 야당 대표의 대화라면 적어도 경제를 비롯한 국민이 누려야 할 삶의 문제, 이념 갈등을 탈피하는 등의 국민 화합의 문제 등 남북 문제 세계 속에 한국을 모색하는 세계화 문제 그리고 한미관계 등 안보 문제가 폭넓게 논의되어야 할 것 아닌가?

〈25〉 「의」가 「주어+누리고자 하는」의 뜻으로 이해되는 예

(1) 정복자의 쾌를 탐할 뿐이요, 아의 구원한 사회 기초와 탁탁한 민족 심리를 무시한다 하야…

= 정복자가 누리고자 하는 쾌를 탐할 뿐이요, 아의 구원한 사회 기초와 탁탁한 민족 심리를 무시한다 하야…

위의 「정복자의 쾌」는 「정복자가 요구하는 쾌」로 풀 수도 있겠고 또는 「정복자가 바라고 있는」으로도 풀 수 있을 것 같다.

〈26〉「의」가 「주어+써 주시는」의 뜻으로 이해되는 예

(1) 문집을 펴 낼 때, 꼭 선생의 축사가 받고 싶었다.

 = 문집을 펴 낼 때, 꼭 선생이 써 주시는 축사가 받고 싶었다.

〈27〉「의」가 「주어+살아 오신(온)」의 뜻으로 이해되는 예

(1) 혜촌은 대왕의 대진 외에도 수년에 걸쳐 대왕의 일대기를 그렸
는데, 그 작품들 모두 현재 그곳에 함께 전시돼 있다.

 = 혜촌은 대왕의 어진 외에도 수년에 걸쳐 대왕이 살아 오신 일대
기를 그렸는데, 그 작품들 모두 현재 그곳에 함께 전시돼 있다.

〈28〉「의」가 「주어+전해 오는(오고 있는)」의 뜻으로 이해되는 예

(1) 전설의 고향

 = 전설이 전해 오는(오고 있는) 고향

〈29〉「의」가 「주어+생각하고 있던」의 뜻으로 이해되는 예

(1) 이는 지금까지 갖고 있었던 우리의 인식을 완전히 뒤집어 놓은
것이다.

 = 이는 지금까지 갖고 있었던 우리가 생각하고 있던 인식을 완
전히 뒤집어 놓은 것이다.

여기서 「갖고 있었던」 다음에 다시 「우리가 생각하고 있던」으로
하니까 좀 이상한 것 같으나 전자와 후자가 모두 「인식」을 꾸미고
있다.

〈30〉「의」가 「주어+지켜야 할」의 뜻으로 이해되는 예

(1) 아내의 십계명

= 아내가 지켜야 할 십계명

〈31〉「의」가 「주어+마음에 떠오르는」의 뜻으로 이해되는 예

(1) 사랑의 기억으로 교감하죠

= 사랑이 마음에 떠오르는 기억으로 교감하죠

〈32〉「의」가 「주어+취하여야 할」의 뜻으로 이해되는 예

(1) 연구성 잘 알리는 것도 과학자의 임무 중 하나

= 연구성 잘 알리는 것도 과학자가 취하여야 할 임무 중 하나.

〈33〉「의」가 「주어+갖추어야 할」의 뜻으로 이해되는 예

(1) 일본은 아직 나라의 형태가 어우러져 있지 않았다.

= 일본은 아직 나라가 갖추어야 할 형태가 어우러져 있지 않았다.

〈34〉「의」가 「주어+사용하고 있는」의 뜻으로 이해되는 예

(1) 우리말의 가치조차 의식하지 못한 채 내동이치고 남의 것을 모방하는 데 급급하면서도 하등의 부끄러움조차 느끼지 못하고 있다는 사실이다.

= 우리말의 가치조차 의식하지 못한 채 내동이치고 남이 사용하고 있는 것을 모방하는 데 급급하면서도 하등의 부끄러움조차 느끼지 못하고 있다는 사실이다.

〈35〉「의」가「주어+세워 온」의 뜻으로 이해되는 예

(1) 대한민국 임시정부의 법통을 이어받았다고 선언한 헌법 정신에
   비춰서도 그렇습니다.

   = 대한민국 임시정부가 세워 온 법통을 이어받았다고 선언한 헌
   법 정신에 비춰서도 그렇습니다.

〈36〉「의」가「주어+다해야 할」의 뜻으로 이해되는 예

(1) 그것은 오히려 한글 운동을 하는 사람들의 책무며, 크게 보자면
   우리 나라의 언어 정책에서 모국어와 외국어의 관계를 어떤 식
   으로 설정해 갈 것인가에 대한 해답을 준비하는 과정이다.

   = 그것은 오히려 한글 운동을 하는 사람들이 다해야 할 책무며,
   크게 보자면 우리 나라의 언어 정책에서 모국어와 외국어의
   관계를 어떤 식으로 설정해 갈 것인가에 대한 해답을 준비하
   는 과정이다.

**〈37〉「의」가「주어+가지고 있는 효력에 대한」의 뜻으로 이해되
   는 예**

(1) 차의 재발견 Ⅵ

   = 차가 가지고 있는 효력에 대한 재발견 Ⅵ

〈38〉「의」가「주어+깃들여 있는」의 뜻으로 이해되는 예

(1) 영혼의 땅 사하라

   = 영혼이 깃들여 있는 땅 사하라

〈39〉「의」가「주어+몰래 간직하고 있는」의 뜻으로 이해되는 예

(1) 우리의 정체를 알면 안 된다.

= 우리가 몰래 간직하고 있는 정체를 알면 안 된다.

〈40〉「의」가「주어+해 나온」의 뜻으로 이해되는 예

(1) 고루 박사의 식생활

= 고루 박사가 해 나온 식생활

〈41〉「의」가「주어+안고 있는」의 뜻으로 이해되는 예

(1) 빈익빈 부익부 중국의 고민

= 빈익빈 부익부 중국이 안고 있는 고민

〈42〉「의」가「주어+이루어 내는」의 뜻으로 이해되는 예

(1) 노래, 춤, 연기의 하모니

= 노래, 춤, 연기가 이루어 내는 하모니

〈43〉「의」가「주어+일깨워 주신」의 뜻으로 이해되는 예

(1) 고루 박사의 깨우침이 얼마나 대단한 것이었는지 새삼 가슴에
되새겨진다.

= 고루 박사가 일깨워 주신 깨우침이 얼마나 대단한 것이었는지
새삼 가슴에 되새겨진다.

〈44〉「의」가「주어+보여 주는」의 뜻으로 이해되는 예

(1) 동원의 새로운 얼굴

= 동원이 보여 주는 새로운 얼굴

〈45〉「의」가 「주어+가져 온」의 뜻으로 이해되는 예

(1) 고려 시대에 이두의 쓰임이 제한된 것은 저를 낮추었다기보다는
    중세 사회의 필연적 귀결이 아니다.

    = 고려 시대에 이두의 쓰임이 제한된 것은 저를 낮추었다기 보
    다는 중세 사회가 가져 온 필연적 귀결이 아니다.

〈46〉「의」가 「주어+이루어 오는」의 뜻으로 이해되는 예

(1) 신문명의 서광을 인류의 역사에 투사하기 시하도다.

    = 신문명의 서광을 인류가 이루어오는 역사에 투사하기 시하도다.

〈47〉「의」가 「주어+차지하고 있는」의 뜻으로 이해되는 예

(1) 한국의 위상을 높이기 위하여 노력한다.

    = 한국이 차지하고 있는 위상을 높이기 위하여 노력한다.

〈48〉「의」가 「주어+운영하고 있는」의 뜻으로 이해되는 예

(1) 북한의 정치범 수용소 중 가장 큰 곳으로 약 5만 명의 정치범과
    가족들이 강금돼 있다.

    = 북한이 운영하고 있는 정치범 수용소 중 가장 큰 곳으로 약 5
    만 명의 정치범과 가족들이 강금돼 있다.

〈49〉「의」가 「주어+이루고 있는」의 뜻으로 이해되는 예

(1) 테러와의 전쟁을 위해 미군의 구조를 바꿨고 정보기관을 개혁했
    고 동맹국의 명단도 다시 짰다.

    = 테러와의 전쟁을 위해 미군이 이루고 있는 구조를 바꿨고 정
    보기관을 개혁했고 동맹국의 명단도 다시 짰다.

〈50〉「의」가 「주어+맺어 주는」의 뜻으로 이해되는 예

(1) 사랑의 열매

= 사랑이 맺어 주는 열매

〈51〉「의」가 「주어+져야 할」의 뜻으로 이해되는 예

(1) 조세연구원의 「기업의 준조세 부담과 정책 방향」 보고서에 따르
면...

= 조세연구원의 「기업이 져야 할 부담과 정책 방향」 보고서에
따르면...

위의 「조세연구원의」의 「의」는 「조세연구원이 작성한」으로 풀어
야 할 것이다. 따라서 「기업의」의 「의」는 「기업이 져야 할 준조세
부담」과 같이 「준조세 부담」에만 걸리고 「정책 방향」은 「조세연구
원이 작성한」의 수식을 받는다. 전체적으로는 「조세연구원이 작성
한」은 「기업이 져야 할 준조세 부담」과 「정책 방향」 모두를 꾸미는
것으로 보아야 한다.

(2) 기업들의 부담은 더 무거워 졌다.

= 기업들이 져야 할 부담은 더 무거워졌다.

〈52〉「의」가 「주어+심사숙고하여 내리는」의 뜻으로 이해되는 예

(1) 특정시설이나 기술에 대한 투자 결정을 내릴 때는 기업 스스로
의 판단보다 이런저런 경로로 입수한 외국회사의 사업계획서가
더 중요한 판단 기준이 되던 일도 다반사였다.

= 특정시설이나 기술에 대한 투자 결정을 내릴 때는 기업 스스로가 심사숙고하여 내리는 판단보다 이런저런 경로로 입수한 외국회사의 사업계획서가 더 중요한 판단 기준이 되던 일도 다반사였다.

위의 「기업 스스로가 심사숙고하여 내리는」을 「기업 스스로가 내리는」으로 줄여서 풀이하여도 좋을 것이요, 또는 「기업 스스로가 결정하여 내리는」으로 풀어도 좋을 것이다.

〈53〉「의」가 「주어+이행하여야 할」의 뜻으로 이해되는 예

(1) 이는 일등의 의무일 뿐만 아니라 우리가 일등으로 남기 위한 조건이기도 하다.
   = 이는 일등이 이행하여야 할 의무일 뿐만 아니라 우리가 일등으로 남기 위한 조건이기도 하다.

위의 「일등이 이행하여야 할」을 「일등해 내어야 할」로도 풀이가 가능하고 또는 「일등이 수행하여야 할」로도 풀어도 좋을 것으로 보이며 혹은 「일등이 책임져야 할」로 풀어도 좋을 듯하다.

〈54〉「의」가 「주어+당하여야 했던」의 뜻으로 이해되는 예

(1) 아버지 세대들의 노고는 지주에 놀아나는 마름의 굴종처럼 폄하되고 무시되었다.
   = 아버지 세대들의 노고는 지주에 놀아나는 마름이 당하여야 했던 굴종처럼 폄하되고 무시되었다.

위의 「마름이 당하여야 했던」을 「마름이 당하였던」으로 풀어도
좋을 것이다.

〈55〉「의」가 「주어+마음대로 하는」의 뜻으로 이해되는 예

(1) 초강력 패권국 미국의 독주를 견제하고 그가 가진 힘을 최대한
인류 다수의 이익에 맞게 사용하도록 강제하는 측면이 있기 때
문이다.

　= 초강력 패권국 미국이 마음대로 하는 독주를 견제하고 그가
　　가진 힘을 최대한 인류 다수의 이익에 맞게 사용하도록 강제
　　하는 측면이 있기 때문이다.

〈56〉「의」가 「주어+시행하고자 하는」의 뜻으로 이해되는 예

(1) 정부의 활성화 대책에 용기를 얻은 투자자들은 줄기세포의 위성
DMBU 하는 테마주를 사 들였고…

　= 정부가 시행하고자 하는 활성화 대책에 용기를 얻은 투자자들
　　은 줄기세포의 위성 DMBU 하는 테마주를 사 들였고…

〈57〉「의」가 「주어+사용하여야 할」의 뜻으로 이해되는 예

(1) 정부 사무원의 명함장을 한국어로 만들었다.

　= 정부 사무원이 사용하여야 할 명함장을 한국어로 만들었다.

〈58〉「의」가 「주어+보내 주신」의 뜻으로 이해되는 예

(1) 아버지의 편지

　= 아버지가 보내 주신 편지

〈59〉「의」가「주어+노력하고 있는」의 뜻으로 이해되는 예

(1) 끈끈한 애족심을 보여 준 사할린 동포들의 뿌리 찾기 의식에 감
　 개무량하고 또 반추와 자면을 금할 길 없다.

　 = 끈끈한 애족심을 보여 준 사할린 동포들이 노력하고 있는 뿌
　 　 리 찾기 의식에 감개무량하고 또 반추와 자면을 금할 길 없다.

〈60〉「의」가「주어+잘 살아 가는」의 뜻으로 이해되는 예

(1) 노동자 농민의 세상을 만들겠다던 외국 공산주의자들의 '이미 다
　 지나가 버린 낡아빠진 혁명 이론'을 때늦게나마 흉내라도 내 보
　 겠다는 것이 만날 헛짚고 있다.

　 = 노동자 농민이 잘 살아 가는 세상을 만들겠다던 외국 공산주
　 　 의 '이미 다 지나가 버린 낡아빠진 혁명 이론'을 때늦게나마 흉
　 　 내라도 내 보겠다는 것이 만날 헛짚고 있다.

〈61〉「의」가「주어+퇴장함과 할께」의 뜻으로 이해되는 예

(1) 단카이 세대의 퇴장과 함께 줄어들기 시작하는 인구 감소의 문
　 제만을 얘기하는 것은 아니다.

　 = 단카이 세대가 퇴장함과 함께 줄어들기 시작하는 인구 감소의
　 　 문제만을 얘기하는 것은 아니다.

〈62〉「의」가「주어+품고 있던」의 뜻으로 이해되는 예

(1) 고루 박사의 큰 생각

　 = 고루박사가 품고 있던 큰 생각

8. 「의」가 「관형사절」의 구조로 되어 여러 가지 뜻으로 이해되는 예

〈1〉 「의」가 「주어+가지고 있는 본래의 목적에 필요한」의 뜻으로 이해되는 예

(1) 부담금의 용도와는 별 관계가 없는 쪽에 부담금을 물리고 있다.

= 부담금이 가지고 있는 본래의 목적에 필요한 용도와는 별 관계가 없는 쪽에 부담금을 물리고 있다.

〈2〉 「의」가 「건국대학교를 졸업한 사람들이 (주어절)+모여 행사와 잔치를 하며 즐기는」의 뜻으로 이해되는 예

(1) 건국인의 밤

= 건국대학교를 졸업한 사람들이 모여 행사와 잔치를 하며 즐기는 밤

여기의 예문을 보면, 「건국인」을 「건국대학교를 졸업한 사람들이」로 완전한 뜻을 나타내도록 다시 고쳐야 하며 「의」는 「모여 행사와 잔치를 하며 즐기는」으로 풀이되는 점이 특이하다. 다음의 예문도 이와 같다.

〈3〉 「의」가 「미국 로스앤젤리스에 살고 있는 한국인이 모여 행사와 잔치를 하며 즐기는」의 뜻으로 이해되는 예

(1) 한국인의 밤

= 미국 로스앤젤리스에 살고 있는 한국인이 모여 행사와 잔치를 하며 즐기는 밤

〈4〉「의」가 「뉴욕에 살고 있는 한인들이 모여 친목을 도모하고 잔치를 하며 즐긴」의 뜻으로 이해되는 예

(1) 뉴욕 한인의 밤 행사를 성황리에 열었다.

= 뉴욕에 살고 있는 한인들이 모여 친목을 도모하고 잔치를 하며 즐긴 밤 행사를 성황리에 열었다.

〈5〉「의」가 「주어+어떠한 상황에 처해 있는」의 뜻으로 이해되는 예

(1) LG 필립스 LCD 구미 공장의 지금

= LG 필립스 LCD 구미 공장이 어떠어떠한 상황에 처해 있는 지금

〈6〉「의」가 「주어+지금 하고 있는 파업을 중지하고」의 뜻으로 이해되는 예

(1) 현대, 기아 자동차의 즉각적인 조업 정상화를 간곡히 호소합니다.

= 현대, 기아 자동차 노무자가 지금 하고 있는 파업을 중지하고 즉각적인 조업 정상화를 간곡히 호소합니다.

위에서 보듯이 「현대, 기아 자동차」에 「노무자가」가 추가되어야 완전한 월로서의 뜻을 나타낼 수 있다.

〈7〉「의」가 「주어+사용하고 있는」의 뜻으로 이해되는 예

(1) 역사적으로 그 원인을 보면, 강대국인 중국을 비롯해서 오늘날의 미국에 이르면서 우리는 어느새 사대주의에 젖어 우리말을 얕잡아 보고 강대국들의 언어를 따라 하는 것을 자랑스럽게 여

기기까지 하고 있다고 볼 수 있다.

= 역사적으로 그 원인을 보면, 강대국인 중국을 비롯해서 오늘
날의 미국에 이르면서 우리는 어느새 사대주의에 젖에 우리말
을 얕잡아 보고 강대국들이 사용하고 있는 언어를 따라 하는
것을 자랑스럽게 여기기까지 하고 있다고 볼 수 있다.

〈8〉「의」가 「주어+지켜 오고 있는」의 뜻으로 이해되는 예

(1) 우리의 정체성을 토대로 한 문(文), 사(史), 철(哲)을 확립하여
국학의 선구자로 우뚝 섬

= 우리가 지켜 오고 있는 정체성을 토대로 한 문(文), 사(史), 철
(哲)을 확립하여 국학의 선구자로 우뚝 섬

〈9〉「의」가 「주어+일관되게 지녀 왔던」의 뜻으로 이해되는 예

(1) 한글학회를 굳건하게 지켜 온 어른들의 정신을 이어 받고 있다
는 데 더 큰 긍지를 느껴야 합니다.

= 한글학회를 굳건하게 지켜 온 어른들이 일관되게 지녀 왔던
정신을 이어 받고 있다는 데 더 큰 긍지를 느껴야 합니다.

**〈10〉「의」가 「주어+차지하고 있는 수준에 비하면」의 뜻으로 이
해되는 예**

(1) 나는 우리 사회가 서구식 민주주의의 최극단에 서 있다고 생각
한다.

= 나는 우리 사회가 서구식 민주주의가 차지하고 있는 수준에
비하면 최극단에 서 있다고 생각한다.

〈11〉「의」가 「주어+활동하며 살아 가는」의 뜻으로 이해되는 예

(1) 우리들의 세상

　= 우리들이 활동하며 살아 가는 세상

〈12〉「의」가 「주어+세상에 군림하고 있는」의 뜻으로 이해되는 예

(1) "아드보카트 4백" 유럽의 창 막는다.

　= "아드보카트 4백" 유럽이 군림하고 있는 창 막는다.

여기서의 「유럽의 창」은 은유적인 (혹은 상징적인) 표현이므로 해석하기가 매우 곤란한데 "아드보카트 4백이 유럽의 밝은 창을 어둡게 막아 버린다"는 뜻으로 이해되기도 하며 또는 「아드보카트 4백이 유럽의 축구 실력을 꺾어 버린다」는 식으로 풀어도 될 듯하다.

〈13〉「의」가 「주어+이루어 가고 있는」의 뜻으로 이해되는 예

(1) 문화는 중국의 한족 문화만을 가리켰다.

　= 문화는 중국이 이루어 가고 있는 한족 문화만을 가리켰다.

위의 예문의 해석은 「중국이 이루어 낸」으로도 이해될 수도 있을 것이다.

〈14〉「의」가 「주어+우리에게 제시하여 주는」의 뜻으로 이해되는 예

(1) 사대는 자연의 질서에 따르는 사회의 질서이며 보편적인 예라고 선정되었다.

= 사대는 자연이 우리에게 제시하여(베풀어)주는 질서에 따르는
사회의 질서이며 보편적인 예라고 선정되었다.

〈15〉 「의」가 그 뒤의 명사에 따라 「주어가 흘리고 탄식하는」의 뜻으로 풀어야 할 예

(1) 정부의 단견이 또 얼마나 많은 투자자들의 눈물과 한숨을 불러
올지 두렵다.

= 정부의 단견이 또 얼마나 많은 투자자들이 흘리고 탄식하는
눈물과 한숨을 불러 올지 두렵다.

위와 같이 푸니까 좀 이상하다. 그래서 「정부의 단견이 또 얼마
나 많은 투자자들이 흘리는 눈물과 탄식하는 한숨을 불러 올지 두
렵다」로 푸는 것이 좋을 듯하다.

〈16〉 「의」가 「주어+같이 누리고자 하는」의 뜻으로 이해되는 예

(1) 아태의 평화 공영에 크게 기여할 수 있다.

= 아태가 같이 누리고자 하는 평화 공영에 크게 기여할 수 있다.

〈17〉 「의」가 「주어+우리에 대하여 가졌던」의 뜻으로 이해되는 예

(1) 「한국은 이제 벤치마크할 만한 서구적 역할을 수행하고 전략적
모델을 구성해야 한다」라는 앨빈 토플러의 기대에 대한 찬 목소
리와 같이 사업을 주도하고 방향을 제시하는 모습에 대한 기대
에도 불구하고 여전히 과거 모방의 대상이 되었던 회사들을 모
방하여 선례가 없는 새로운 방향으로의 전진이나 앞서 방향을
제시하는 데 주저하고 있는 것이다.

= 「한국은 이제 벤치마크할 만한 서구적 역할을 수행하고 전략적 모델을 구성해야 한다」라는 앨빈 토플러가 우리에 대하여 가졌던 기대에 대한 찬 목소리와 같이 사업을 주도하고 방향을 제시하는 모습에 대한 기대에도 불구하고 여전히 과거 모방의 대상이 되었던 회사들을 모방하여 선례가 없는 새로운 방향으로의 전진이나 앞서 방향을 제시하는 데 주저하고 있는 것이다.

〈18〉 「의」가 「주어(만이)+가지는 독특한」의 뜻으로 이해되는 예
(1) 우리의 모델을 만들어 가야 한다.
   = 우리만이 가지는 독특한 모델을 만들어 가야 한다.

〈19〉 「의」가 「주어+살아 있음을 상징하는」의 뜻으로 이해되는 예
(1) 조선의 맥박
   = 조선이 살아 있음을 상징하는 맥박

위의 풀이를 「조선이 약동하고 있음을 보이는 맥박」으로 풀어도 좋을 듯하다.

〈20〉 「의」가 「주어+대외적으로 유지하여야 할」의 뜻으로 이해되는 예
(1) 조선말 큰사전에 올릴 말본의 용어를 민족의 체면을 생각하며...
   = 조선말 큰사전에 올릴 말본의 용어를 민족이 대외적으로 유지하여 야 할 체면을 생각하며...

〈21〉「의」가「주어+지었던」의 뜻으로 이해되는 예

(1) 문교부로 들어서는 선생님의 얼굴은 파랗게 질려 있었다.

　　= 문교부로 들어서는 선생님이 지었던 얼굴은 파랗게 질려 있었다.

〈22〉「의」가「주어+살아 가야 하는」의 뜻으로 이해되는 예

(1) 여자의 일생

　　= 여자가 살아 가야 하는 일생

〈23〉「의」가「주어+여러 가지 일을 겪으면서 살아 온」의 뜻으로 이해되는 예

(1) 우리 나라의 역사

　　= 우리 나라가 여러 가지 일을 겪으면서 살아 온 역사

〈24〉「의」가「주어+펼쳐내는 아름다운」의 뜻으로 이해되는 예

(1) 남산의 경치

　　= 남산이 펼쳐내는 아름다운 경치

위의 예에서「펼쳐내는」을「꾸며내는」으로 풀어도 좋을 것이다.

〈25〉「의」가「주어+주최가 되어 개최한」의 뜻으로 이해되는 예

(1) 2003 올해의 한인상 수상식을 겸한 뉴욕 한인의 밤 행사를 성황리에 열었다.

　　= 2003 올해의 한인상 수상식을 겸한 뉴욕 한인이 주체가 되어 개최한 밤 행사를 성황리에 열었다.

〈26〉 「의」가 「주어+입고 있는」의 뜻으로 이해되는 예

(1) 그래서 노회한 단카이 세대의 바짓가랑이를 잡을 수밖에 없는 현실이 일본의 앞날을 어둡게 하는 것이다.

= 그래서 노회한 단카이 세대가 입고 있는 바짓가랑이를 잡을 수밖에 없는 현실이 일본의 앞날을 어둡게 하는 것이다.

〈27〉 「의」가 「주어+소유하고 있는」의 뜻으로 이해되는 예

(1) 어머니의 사진

= 어머니가 소유하고 있는 사진

〈28〉 「의」가 「~가 끼쳐준」의 뜻으로 이해되는 예

(1) 구시대의 유물인 침략주의, 강권주의의 희생을 작하야...

= 구시대가 끼쳐 준 유물인 침략주의 강권주의의 희생을 작하야...

〈29〉 「의」가 「~가 고안해 낸」으로 풀이될 수 있는 예

(1) 그녀의 알뜰한 행복 비결

= 그녀가 고안해 낸 알뜰한 행복 비결

〈30〉 「의」를 「~이 맺고 있는」으로 풀 수 있는 예

(1) 테러전이 아닌 민주주의의 잣대를 들이면 이후 미국의 동맹국 명단도 변하고 있다.

= 테러전이 아닌 민주주의의 잣대를 들이면 이후 미국이 맺고 있는 동맹국 명단도 변하고 있다.

〈31〉「의」를 「~가 ~을 ~하다」로 풀어야 뜻이 완전하게 통하는 예

(1) 이다도시의 행복 공감
   = 이다도시가 행복을 공감한다.

〈32〉「의」를 「~이 성립하는」으로 풀 수 있는 예

(1) 한글은 우리 자랑 민족의 근본 이 글로 이 나라의 힘을 기르자.
   = 한글은 우리 자랑 민족이 성립하는 근본 이글로 이 나라의 힘을 기르자.

위의 「민족이 성립하는」을 「민족이 존립하는」으로 풀이하면 더 나을 것 같은 생각이 든다.

〈33〉「의」를 「~이 규정하고 있는」으로 풀 수 있는 예

(1) 한글맞춤법의 삼대 원칙은 이렇습니다.
   = 한글 맞춤법이 규정하고 있는 삼대 원칙은 이렇습니다.

〈34〉「의」를 「~이 성으로 쓰는」으로 풀 수 있는 예

(1) 신덕화 선생의 '신'은 잔나비 '신'자인가요 매울 '신'자인가요?
   = 신덕화 선생이 성으로 쓰는 '신'은 잔나비 '신' 자인가요, 매울 '신' 자 인가요?

〈35〉「의」를 「~이 바라는」으로 풀 수 있는 예

(1) 유가 사상의 이상은 천하를 편안하게 함에서 완성된다.
   = 유가 사상이 바라는 이상은 천하를 편안하게 함에 완성된다.

⟨36⟩ 「주어+간직하고 있는」으로 풀 수 있는 예

(1) 편안함의 비밀

= 편안함이 간직하고 있는 비밀

위를 달리 「편안함이 감추고 있는 비밀」 또는 「편안함이 지니고 있는 비밀」 등으로 푸는 것도 좋을 것이다.

⟨37⟩ 「의」를 「~을 밝혀 주는」으로 풀 수 있는 예

(1) 선생님은 우리 교육의 등불

= 선생님은 우리 교육을 밝혀 주는 등불

⟨38⟩ 「의」를 「~이 출연한」으로 풀 수 있는 예

(1) 미국과 일본 등 동포들의 후원금으로 충당된다.

= 미국과 일본 등 동포들이 출연한 후원금으로 충당된다.

⟨39⟩ 「의」를 「~가 뽑은」의 뜻으로 풀 수 있는 예

(1) 너와 나의 챔피언

= 너와 내가 뽑은 챔피언

⟨40⟩ 「의」를 「~이 스스로 떠오르게 하는」으로 풀 수 있는 예

(1) 지혜의 등대

= 지혜가 스스로 떠오르게 하는 등대

(2) 지혜의 길

= 지혜가 스스로 떠오르게 하는 길

〈41〉「의」를 「~이 믿고 즐겨 쓰는」으로 풀 수 있는 예

(1) 천만인의 카드 LG 카드

= 천만인이 믿고 즐겨 쓰는 카드 LG 카드

〈42〉「의」를 「~이 이루어 낸」으로 풀 수 있는 예

(1) 대한민국 최강 250 명의 다이어트 성공 사례

= 대한민국 최강 250 명이 이루어낸 다이어트 성공 사례

위의 예를 문맥에 따라 「대한민국 최강 250명이 보여 주는(말하는) 다이어트 성공 사례」 등으로 풀어도 좋을 것으로 보아진다.

〈43〉「의」를 「~이 부리는」으로 풀 수 있는 예

(1) 포털의 매직쇼

= 포털이 부리는 매직쇼

또는 =포털이 보여 주는 매직쇼.

(2) 주유소의 얄팍한 상술

= 주유소가 부리는 얄팍한 상술

〈44〉「의」를 「~이 지닌」으로 풀 수 있는 예

(1) 디베트 불교미술의 정수 맛보다.

= 디베트 불교미술이 지닌 정수 보다.

위 「불교미술의 진수」는 「불교미술이 표현하는 진수」로 풀면 어떠할까?

〈45〉 「의」를 「~가 전하여 주는」으로 풀 수 있는 예

(1) 윤영미의 연예 뉴스

= 윤영미가 전하여 주는 연예 뉴스

〈46〉 「의」를 「~혼이 담긴」으로 풀 수 있을 것 같은 예

(1) 내 가슴에는 저 신라의 맥박이 뛰고 있다.

= 내 가슴에는 저 신라혼이 담긴 맥박이 뛰고 있다.

〈47〉 「의」를 「~이 담긴 또는 ~에 찬」으로 풀 수 있는 예

(1) 사랑의 씨를 뿌리고...

= 사랑이 담긴(사랑에 찬) 씨를 뿌리고...

위의 「사랑의 씨」를 달리 「사랑이 가득찬」으로 풀어도 좋을 것이다.

〈48〉 「의」를 「~가 감추고 있던」으로 풀 수 있는 예

(1) 드러나는 은나노의 허상

= 드러나는 은나노가 감추고 있던 허상

〈49〉 「의」를 「~이 걸어 온」으로 풀 수 있는 예

(1) 광복의 역사

= 광복이 걸어 온 역사

보기에 따라서는 「광복의 역사」를 「광복에 관한 역사」로 풀어도
좋을 것이다.

〈50〉 「의」를 「~이 ~을 ~하는」으로 풀 수 있는 예

(1) 직장인들의 뱃살 빼기
  = 직장인들이 뱃살을 빼는 일

위의 예는 위에서 푼 것과 같이 풀어야지 그렇게 하지 않으면 「
직장인들이 노력하는 뱃살 빼기」로 풀어야 할 것이다.

〈51〉 「의」를 「~이 벌어들이는」으로 풀 수 있는 예

(1) 남편의 수입이 얼마인가?
  = 남편이 벌어들이는 수입이 얼마인가?

〈52〉 「이」를 「~이 털어 놓는」으로 풀 수 있는 예

(1) 남편의 불만
  = 남편이 털어 놓는 불만

〈53〉 「의」를 「~이 이루어 누리고 있는」으로 풀 수 있는 예

(1) 중국 한족의 문화만이 문화이기에 문화란 중국 닮기라고 보았
  다.
  = 중국 한족이 이루어 누리고 있는 문화만이 문화이기에 문화란
    중국 닮기라고 보았다.

〈54〉「의」를「~이 외치는」으로 풀 수 있는 예

(1) 당신의 목소리로 대한민국을 좌우한다.

　= 당신이 외치는 목소리로 대한민국을 좌우한다.

〈55〉「의」를「~이 ~한 것」으로 풀 수 있는 예

(1) 이번 선거가 "민심의 흐름"에 불과하다.

　= 이번 선거가 "민심이 흐른 것"에 불과하다.

〈56〉「의」를「~이 우겨대는」으로 풀 수 있는 예

(1) 고미술 애호가들의 등살 때문이었다.

　= 고미술 애호가들이 우겨대는 등살 때문이었다.

〈57〉「의」를「~이 거둔」으로 풀 수 있는 예

(1) 민노당의 성적표

　= 민노당이 거둔 성적표

〈58〉「의」를「~이 발휘하는」으로 풀 수 있는 예

(1) 달인들의 동물적 감각

　= 달인들이 발휘하는 동물적 감각

III. 「의」가 「의」의 앞의 이름씨에 「으로」가 붙어서 되는 「연유말+서술어의 관형사형」의 구조로 여러 가지 뜻으로 이해되는 예들

〈1〉「의」가 「연유말+말하는」의 뜻으로 이해되는 예

(1) 경상도 사투리의 아가씨가 슬피 우네

= 경상도 사투리로 말하는 아가씨가 슬피 우네

〈2〉「의」가 「으로 나아가는」의 뜻으로 이해되는 예

(1) 산업을 주도하고 방향을 제시하는 모습에 대한 기대에도 불구하고 여전히 과거 모방의 대상이 되었던 회사들을 모방하여 선례가 없는 새로운 방향으로의 전진이나 앞서 방향을 제시하는 데 주저하고 있는 것이다.

= 산업을 주도하고 방향을 제시하는 모습에 대한 기대에도 불구하고 여전히 과거 모방의 대상이 되었던 회사들을 모방하여 선례가 없는 새로운 방향으로 나아가는 전진이나 앞서 방향을 제시하는 데 주력하고 있는 것이다.

〈3〉「의」가「~으로 느끼는」의 뜻으로 이해되는 예

(1) 마음의 평화가 건강의 기본

= 마음으로 느끼는 평화가 건강의 기본

〈4〉「의」가「~으로 여기는」의 뜻으로 이해되는 예

(1) 한국어가 최고의 대우법 체계를 가진 언어라는 식의 환상에 빠
지게 된다는 교훈을 잊지 말아야 할 것이다.

= 한국어가 최고의 대우법 체계를 가진 언어라는 식으로 여기는
환상에 빠지게 된다는 교훈을 잊지 말아야 할 것이다.

〈5〉「의」가「~으로 간주되는」의 뜻으로 이해되는 예

(1) 한국어가 최고의 대우법 체계를 가진 언어라는 식의 환상에 빠
지게 된다는 교훈을 잊지 말아야 할 것이다.

= 한국어가 최고로 간주되는 대우법 체계를 가진 언어라는 식의
환상에 빠지게 된다는 교훈을 잊지 말아야 할 것이다.

〈6〉「의」가「~로 보아지는」의 뜻으로 이해되는 예

(1) '한국어의 대우법'을 하나의 특질로 다루고 있다.

= '한국어의 대우법'을 하나로 보아지는 특질로 다루고 있다.

위의「하나의 특질」을「하나인 특질」로 풀어도 괜찮을 듯하다.

〈7〉「의」가「~을 으로 나눈」의 뜻으로 이해되는 예

(1) 본문의 3분의 1도 읽지 못한 상태에서 글쓴이는 자신의 생각이
얼마나 부질없는 것인지를 깨닫게 되었고…

= 본문을 3분으로 나눈 1도 읽지 못한 상태에서 글쓴이는 자신의 생각이 얼마나 부질없는 것인지를 깨닫게 되었다.

〈8〉「의」가 「~로 된」의 뜻으로 이해되는 예

(1) 개론서가 문법서 안에 있는 별도의 한 장에서 한국어의 특질을 다룬 것이 그 전부이고…

= 개론서가 문법서 안에 있는 별도로 된 한 장에서 한국어의 특질을 다룬 것이 그 전부이고…

(2) 굳이 한 권의 책으로까지 기술할 필요가 있었을까 하는 생각이었다.

= 굳이 한 권으로 된 책으로까지 기술할 필요가 있었을까 하는 생각이었다.

〈9〉「의」가 「~로(요구)하는」의 뜻으로 이해되는 예

(1) 공평한 정보 제공 이상의 특별회견 기고 협찬 등 별도의 요청에 응하지 않는다는 내용도 들어 있다.

= 공평한 정보 제공 이상의 특별회견 기고 협찬 등 별도로 한 요청에 응하지 않는다는 내용도 들어 있다.

〈10〉「의」가 「~로서 가지고 있는」의 뜻으로 이해되는 예

(1) 설령 우리가 물질과 정신 세계에서 내세울 것이 없다 하더라도 있는 그대로의 우리 존재 가치가 있고 그에 대한 긍지를 갖는 것이 최상의 우월이요, 강함이요, 올바른 자존심이 아닌가?

= 설령 우리가 물질과 정신 세계에서 내세울 것이 없다 하더라도 있는 그대로로서 가지고 있는 우리 존재 가치가 있고 그에

대한 긍지를 갖는 것이 최상의 우월이요, 강함이요, 올바른 자
존심이 아닌가!

〈11〉 「의」가 「~로 소유한」의 뜻으로 이해되는 예

(1) 주말 부부 등 '선의의 1가구 2주택'도 무차별 피해
　= 주말 부부 등 '선의로 소유한 1가구 2 주택'도 무차별 피해

〈12〉 「의」가 「~으로 인한」의 뜻으로 이해되는 예

(1) 광복절 행사 ― 분단의 아픔
　= 광복절 행사 ― 분단으로 인한 아픔

〈13〉 「의」가 「~으로 뒤덮인」의 뜻으로 이해되는 예

(1) 울릉도, 암흑의 섬
　= 울릉도, 암흑으로 뒤덮인 섬

〈14〉 「의」가 「~으로서 살아가는」의 뜻으로 이해되는 예

(1) 그것이 정치인의 인생을 다 건 과제가 되려면 이승만의 '독립과
건국' 박정희의 '경제 건설' 김대중의 '남북대화'와 같이 국민의
뇌리에 동의어로 각인되어야 한다.
　= 그것이 정치인으로서 살아가는 인생을 다 건 과제가 되려면
이승만의 '독립과 건국' 박정희의 '경제건설' 김대중의 '남북대
화'와 같이 국민의 뇌리에 동의어로 각인되어야 한다.

〈15〉 「의」가 「~로 통일된」의 뜻으로 이해되는 예

(1) 남북한이 한 겨레이면서도 하나의 언어 정책을 가지고 있지 못

하다는 것입니다.

= 남북한이 한 겨레이면서도 하나로 통일된 언어 정책을 가지고
있지 못하다는 것입니다.

〈16〉 「의」가 「~으로 야기되는」의 뜻으로 이해되는 예

(1) 이공계 기피 현상의 결과로 원천 기술이나 핵심 기술의 개방에
서 점차 경쟁력을 잃고 있다는 현실적 문제와 그 원인으로 여러
가지가 지적되었다.

= 이공계 기피 현상으로 야기되는 결과로 원천 기술이나 핵심
기술의 개방에서 점차 경쟁력을 잃고 있다는 현실적 문제와
그 원인으로 여러 가지가 지적되었다.

〈17〉 「의」가 「~으로 하는」의 뜻으로 이해되는 예

(1) 각기 다른 방식의 개혁 경쟁

= 각기 다른 방식으로 하는 개혁 경쟁

(2) 마법의 시간 여행

= 마법으로 하는 시간 여행 또는 마법이 하는 시간 여행

〈18〉 「의」가 「으로서 작용하는」의 뜻으로 이해되는 예

(1) 〈한글갈〉도 문자학의 고전이 될 것이며 과도기에 있어 국어학사
사전의 구실을 할 것입니다.

= 〈한글갈〉도 문자학의 고전이 될 것이며 과도기에 있어 국어학
사 사전으로서 작용하는 구실을 할 것 입니다.

〈19〉「의」가「으로 그리는」의 뜻으로 이해되는 예

(1) 심장이 멈추는 순간까지 꿈의 날개를 접지 않으리...

= 심장이 멈추는 순간까지 <u>꿈으로 그리는</u> 날개를 접지 않으리...

위의 밑줄 부분의 뜻은「희망으로 바라는 날개」로 이해하여야 할
것이다.

〈20〉「의」가「~으로 전달하는」의 뜻으로 이해되는 예

(1) 사랑의 밥상

= 사랑으로 전달하는 밥상

〈21〉「의」가「~으로 주는(드리는)」의 뜻으로 이해되는 예

(1) 사랑의 격려금

= 사랑으로 주는(드리는) 격려금

위의「의」는 앞뒤 문맥에 따라서는「사랑이 담긴 격려금」, 또는
「사랑하는 마음으로 주는(드리는) 격려금」등으로 풀이할 수 있을
것이다.

〈22〉「의」가「~으로 시행하였던」의 뜻으로 이해되는 예

(1) 1기 대외 정책의 핵심 코드였던「테러전」을 버리고「민주주의」
를 택했던 것이다.

= 1기 대외 정책으로 시행하였던 핵심 코드였던「테러전」을 버
리고「민족주의」를 택했던 것이다.

〈23〉「의」가 「~에로 나아가는」의 뜻으로 이해되는 예

(1) 인권 말살과 생명 파괴에의 동참이 80년 5월 미국의 행동과 어찌 비교가 되겠는가?

= 인권 말살과 생명 파괴에로 나아가는 동참이 80년 5월 미국의 행동과 어찌 비교가 되겠는가?

〈24〉「의」가 「~으로서 가져야 할」으로 풀이되는 예

(1) 너도 우리 민족의 긍지를 가지게 될 것이다.

= 너도 우리 민족으로서 가져야 할 긍지를 가지게 될 것이다.

〈25〉「의」가 「~으로 ~하는」으로 풀이되거나 다른말을 보충하여 풀어야 할 예들

(1) 천원의 사랑을 전하세요.

= 천원으로 베푸는 사랑을 전하세요.

(2) 피아노의 구도자 백건우

= 피아노로 구도하는 자 백건우

(3) 그림의 떡

= 그림으로 그려 놓아서 먹을 수 없는 떡

(4) 하지만 지금 형태의 부담금은 심사 과정이 세금보다 까다롭지 않다.

= 하지만 기금 형태로 된 부담금은 심사 과정이 세금보다 까다롭지 않다.

(5) 출산의 고통

= 출산으로 (인하여) 받는 고통

(7) 기다림의 승리

　= 기다림으로써 쟁취할 수 있는 승리

위의 예를 달리 「기다림에서 오는 승리」 또는 「기다림에서 얻어지는 승리」, 「기다림으로 (인하여) 얻어지는 승리」 등으로 풀 수도 있을 것으로 보인다.

(8) 빛의 향연

　= 빛으로 이루어 내는 향연

「빛의 향연」은 「빛으로 꾸며 내는 향연」으로 풀어도 가능할 것 같다.

(9) 초감각의 달인

　= 초감각으로 일을 잘 해 내는 달인

(10) 내 최후의 재산이었다.

　= 내가 최후로 가졌던 재산이었다.

(11) 조리샌들, 여름 패션의 마침표

　= 조리 샌들, 여름 패션으로서 가장 인기있는 마침표

(12) 사랑의 가족

　= 사랑으로 이루어진 가족

위의 예를 달리 「서로 사랑하는 가족」으로 풀 수도 있을 것 같다.

(13) 후세인 '세기의 재판'

= 후세인 '세기에 이름을 떨칠 재판'

위의 예를 「세기적으로 이름을 떨칠 재판」으로 풀 수도 있을 것이다.

(15) 그는 가족이 함께 살지 못할 정도의 생활고에 시달리다 43세라는 젊은 나이에 세상을 떴다.

= 그는 가족이 함께 살지 못할 정도로 어려웠던 생활고에 시달리다 43세라는 젊은 나이에 세상을 떴다.

(16) 라디오의 장 어때요?

= 라디오로 녹음하는 장 어때요?

(18) 이웃과 나눔의 행복

= 이웃과 나눔으로써 얻을 수 있는 행복

IV. 「위치말+서술어」의 형식으로 되어 여러 가지 뜻으로 이해되는 예들

1. 「위치말+서술어의 관형사형」으로 되어 여러 가지 뜻을 나타내는 예

〈1〉 「~에서+일고 있는」의 뜻으로 이해되는 예

(1) 미국 내의 한국 불신론을 제거해야 할 필요가 그 만큼 촉박해진 것이다.

= 미국 내에서 일고 있는 한국 불신론을 제거해야 할 필요가 그 만큼 촉박해진 것이다.

〈2〉 「의」가 「~에 입각한」의 뜻으로 이해되는 예

(1) 민주주의 증진 법안이 민주, 공화 양당의 고른 지지 속에 상정된 것도 결국 명분의 선의 덕분이다.

= 민주주의 증진 법안이 민주, 공화 양당의 고른 지지 속에 상정된 것도 결국 명분에 입각한 선의 덕분이다.

⟨3⟩ 「의」가 「~에 대한」의 뜻으로 이해되는 예

(1) 민주주의 잣대를 들이댄 이후 미국의 동맹국 명단도 변하고 있
다.

= 민주주의 잣대를 들이댄 이후 미국에 대한 동맹국 명단도 변
하고 있다.

(2) 동맹국의 명단도 다시 짰다.

= 동맹국에 대한 명단도 다시 짰다.

(3) 정부가 또 다시 코스닥 시장의 구원 투수 역할을 자처하고 나섰
다.

= 정부가 또 다시 코스닥 시장의 구원 투수 역할을 자처하고 나
섰다.

(4) 문교부 편수국에서 낱말잦기 조사의 책임을 맡고 있던 이승화님
이 외솔 선생님께 내에 대해서 지나치게 소개를 하였다.

= 문교부 편수국에서 낱말잦기 조사에 대한 책임을 맡고 있던 이
승화님이 외솔 선생님께 내에 대해서 지나치게 소개를 하였다.

(5) 지금 김정일 정권의 협력자는 누구인가?

= 지금 김정일 정권에 대한 협력자는 누구인가?

(6) 이 책은 실로 우리 민족의 체면을 세워 준 거작입니다.

= 이 책은 실로 우리 민족에 대한 체면을 세워 준 거작입니다.

⟨4⟩ 「의」가 「~에 대항하는」의 뜻으로 이해되는 예

(1) 공공의 적2

= 공공에 대항하는 적2.

〈5〉「의」가「~에 접어드는」의 뜻으로 이해되는 예

(1) 부시 2기의 새 외교정책 교과서에서 이제 테러전은 한 장에 불과하다.

= 부시 2기에 접어드는 새 외교정책 교과서에서 이제 테러전은 한 장에 불과하다.

〈6〉「의」가「~에 관한」의 뜻으로 이해되는 예

(1) 게다가 부시 2기는 미국의 안보까지 민주주의 확산에 걸었다.

= 게다가 부시 2기는 미국에 관한 안보까지 민주주의 확산에 걸었다.

(2) 조선말 큰사전에 올릴 말본의 용어를 민족의 체면을 생각하여...

= 조선말 큰사전에 올릴 말본에 관한 용어를 민족의 체면을 생각하여...

(3) 우리말을 풀이하는 법전이 되는 말본의 용어만은 순수 우리말로 해야 하지 않겠습니까?

= 우리말을 풀이하는 법전이 되는 말본에 관한 용어만은 순수 우리말로 해야 하지 않겠습니까?

(4) 사전 편찬은 학회 전체의 일입니다.

= 사전 편찬은 학회 전체에 관한 일입니다.

(5) 그는 한국의 위상을 높이는 데는 반도체도 있고 자동차도 있지마는 말과 글을 알리는 것만큼 큰 효과는 없을 것이라고 말한다.

= 그는 한국에 관한 위상을 높이는 데는 반도체도 있고 자동차도 있지마는 말과 글을 알리는 것만큼 큰 효과는 없을 것이라고 말한다.

(6) 선생님이 내신 '우리말본'은 영원히 국어학사에서 말본의 고전으

로 자리잡게 되며 우리 말본의 연구 모두 이 책에서 시작될 것입
니다.

= 선생님이 내신 '우리말본'은 영원히 국어학사에서 말본에 관한
고전으로 자리 잡게 되며 우리 말본에 관한 연구 모두 이 책에
서 시작될 것입니다.

(7) '한글갈'도 문자학의 고전이 될 것이다.

= '한글갈'도 문자학에 관한 고전이 될 것이다.

(8) 글자의 혁명

= 글자에 관한 혁명

위의 글 뜻은 「글자를 혁명하다」인데 이것을 줄여서 나타내니까
「글자의 혁명」으로 된 것이다.

(9) 이두 급 향가의 연구

= 이두 급 향가에 관한 연구

〈7〉 「의」가 「~에 이르는」의 뜻으로 이해되는 예

(1) 500여 명의 '1인 3 연기명'이었던 예선과 달리 보선인 전당대회
는 1만 3천 명의 대의원들이 '1인 2 연기명'으로 당 지도부를 선
출한다.

= 500여 명의 '1인 3 연기명'이었던 예선과 달리 본선인 전당대
회는 1만 3천 명에 이르는 대의원들이 '1인 2 연기명'으로 당
지도부를 선출한다.

(2) 북한의 수용소 중 가장 큰 곳으로 약 5만 명의 정치범과 가족들
이 강금돼 있다.

= 북한의 수용소 중 가장 큰 곳으로 약 5만 명에 이르는 정치범
과 가족들이 강금돼 있다.

〈8〉 「의」가 「~에 하신(하여 주신)」의 뜻으로 이해되는 예

(1) 선생님의 이날의 충고는 그 후 내게 큰 약이 되었다.

= 선생님의 이날에 하신(하여 주신) 충고는 그 후 내게 큰 약이
되었다.

〈9〉 「의」가 「~에서 한」의 뜻으로 이해되는 예

(1) 제2중의 교편살이 시대, 이는 나에게는 즐거운 시절이었다.

= 제2중에서 한 교편살이 시대, 이는 나에게는 즐거운 시절이었
다.

〈10〉 「의」가 「~에서 살고 있는」의 뜻으로 이해되는 예

(1) 우리 나라의 젊은이들은 시련과 암담과 공포 속에서 헤매면서
조국의 수호에 안간힘을 썼다.

= 우리 나라에서 살고 있는 젊은이들은 시련과 암담과 공포 속
에서 헤매면서 조국의 수호에 안간힘을 썼다.

〈11〉 「의」가 「~에 쓰인」의 뜻으로 이해되는 예

(1) 〈조선어 큰사전〉의 문법체계 역시 이 체계에 따라 이루어진 것
이다.

= 〈조선어 큰사전〉에 쓰인 문법 체계 역시 이 체계에 따라 이루
어진 것이다.

〈12〉「의」가「에서 (부터) 온」뜻으로 이해되는 예

(1) 8·15 이는 나에게 있어서는 무간지옥에서의 해방이었다.

   = 8·15 이는 나에게 있어서는 무간지옥에서(부터) 온 해방이었다.

**〈13〉「의」가「~에 숭배할 대상으로 선정된」의 뜻으로 이해되는
   예**

(1) 이 달의 문화인물

   = 이 달에 숭배하는 대상으로 선정된 문화인물

(2) 올해의 문화인물

   = 올해에 숭배할 대상으로 선정된 문화인물

〈14〉「의」가「~에 수여하게 되어 있는」의 뜻으로 이해되는 예

(1) 2003 올해의 한인상 시상식을 겸한 "뉴욕 한인의 밤" 행사를 성
   황리에 열었다.

   = 2003 올해에 수여하게 되어 있는 한인상 수상식을 겸한 "뉴욕
   한인의 밤" 행사를 성황리에 열었다.

(2) 2003 올해의 한인상 대상 수상자는 이민법 전문가인 박동규 변
   호사가 선정되었다.

   = 2003 올해에 수여하게 되어 있는 한인상 대상 수상자는 이민법
   전문가인 박동규 변호사가 선정되었다.

〈15〉「의」가「~에 위치한」의 뜻으로 이해되는 예

(1) 동쪽의 매전면, 서쪽의 청도읍, 북쪽의 경산시, 남천면의 3개 읍
   면이 만나는 꼭지점에 있다.

= 동쪽에 위치한 매전면, 서쪽에 위치한 청도읍, 북쪽에 위치한
경산시, 남천면의 3개 읍면이 만나는 꼭지점에 있다.

〈16〉 「의」가 「~에 세울 예정인」의 뜻으로 이해되는 예

(1) 주 상해 한국 총영사관도 기흥시의 김구 도서관 건립을 지원할
방침이다.
= 주 상해 한국 총영사관도 기흥시에 세울 예정인 김구 도서관
건립을 지원할 방침이다.

〈17〉 「의」가 「~에 있었던」의 뜻으로 이해되는 예

(1) 구시대의 유물인 침략주의, 강권주의의 희생을 작하야…
= 구시대에 있었던 유물인 침략주의, 강권주의의 희생을 작하
야…

위의 「구시대에 있었던」을 「구세대에 행하여지고 있었던」으로
풀어도 좋을 것으로 보아진다.

〈18〉 「의」가 「~에 있어서 한」의 뜻으로 이해되는 예

(1) 이 중에서의 내 생활은 피곤하긴 했으나 만족스러웠다.
= 이 중에 있어서 한 내 생활은 피곤하긴 했으나 만족스러웠다.

〈19〉 「의」가 「~에 일이 있을」의 뜻으로 이해되는 예

(1) 나는 만약의 경우에 대비하여 조선어학회란 붉은 색 글자가 든
완장 하나를 만들었다.

= 나는 만약에 일이 있을 경우에 대비하여 조선어학회란 붉은 색 글자가 든 완장 하나를 만들었다.

〈20〉「의」가「위에 군림하는」의 뜻으로 이해되는 예
(1) 대지 위의 왕자여!
= 돼지 위에 군림하는 왕자여!
(2) 이 땅 위의 왕자여!
= 이 땅 위에 군림하는 왕자여!

이의 「이 땅 위에 군림하는 왕자여」는 「이 땅 위에 존재하는 왕자여!」로 풀이하는 것이 좋을 듯하다.

〈21〉「의」가「~에 일어났던」의 뜻으로 이해되는 예
(1) 1950 년의 한국전쟁은 온 겨레 전체의 비극이었다.
= 1950 년에 일어났던 한국전쟁은 온 겨레 전체의 비극이었다.
(2) 1941녀의 세계이차대전은 세계 전체의 비극이었다.
= 1941년에 일어났던 세계이차대전은 전세계 전체의 비극이었다.

〈22〉「의」가「~에 국적을 둔」의 뜻으로 이해되는 예
(1) 한국의 모든 청년들은 마침내 한사람 남김없이 모험소설의 주인공이 되고 말았다고 평한 어느 서양인 기자의 보고와 같이 우리나라의 젊은이들은 시련과 암담과 공포 속에서 헤매면서 조국의 수호에 안깐힘 썼다.
= 한국에 국적을 둔 모든 청년들은 마침내 한 사람 남김없이 모험소설의 주인공이 되고 말았다고 평한 어느 성양인 기자의

보고와 같이 <u>우리 나라에 국적을 둔</u> 젊은이들은 시련과 암담
과 공포 속에서 헤매면서 조국의 수호에 안간힘 썼다.

위의 밑줄 그은 부분을 「~에 살고 있는」으로 풀어도 좋을 것이다.

〈23〉 「의」가 「~에 등장하는」의 뜻으로 이해되는 예

(1) 한국의 모든 청년들은 마침내 한 사람 남김없이 모험소설의 주
　인공이 되고 말았다고 평한 어느 서양인 기자의 보고와 같이 우
　리나라의 젊은이들은 시련과 암담과 공포 속에서 헤매면서 조국
　의 수호에 안간힘 썼다.
　= 한국의 모든 청년들은 마침내 한 사람 남김없이 모험소설에
　　등장하는 주인공이 되고 말았다고 평한 어느 서양 기자의 보
　　고와 같이 우리 나라의 젊은이들은 시련과 암담과 공포 속에
　　서 헤매면서 조국의 수호에 안간힘 썼다.

〈24〉 「의」가 「~에 있어서 한」의 뜻으로 이해되는 예

(1) 이것이 나의 20대의 마지막 선언이었다.
　= 이것이 나의 20대에 있어서 한 마지막 선언이었다.

〈25〉 「의」가 「~에 쓴」의 뜻으로 이해되는 예

(1) 70년 3월 23일의 내 일기에는 이렇게 적혀 있었다.
　= 70년 3월 23일에 쓴 내 일기에는 이렇게 적혀 있었다.

〈26〉 「의」가 「~에서 나온(나오는)」의 뜻으로 이해되는 예

(1) 최만리도 우리 문화가 중화와 비슷하다고 말하고 있는 것도 이

런 작은 중화 의식의 산물이다.

= 최만리도 우리 문화가 중화와 비슷하다고 말하고 있는 것도 이런 작은 중화 의식에서 나온 산물이다.

〈27〉 「의」가 「~에서 생산되는」의 뜻으로 이해되는 예

(1) 제주의 감귤

= 제주에서 생산되는 감귤

(2) 안성의 유기

= 안성에서 생산되는 유기

(3) 제주의 말

= 제주에서 생산되는 말

(4) 원더스푼의 찰랑찰랑 샴푸

= 원더스푼에서 생산되는 찰랑찰랑 샴푸

위의 모든 「의」는 소산의 뜻을 나타내므로 같이 다루었다.

〈28〉 「의」가 「~에 있는(소재)」의 뜻으로 이해되는 예

(1) 동래의 온천

= 동래에 있는 온천

(2) 경주의 불국사

= 경주에 있는 불국사

(3) 진주의 촉석루

= 진주에 있는 촉석루

〈29〉「의」가「~에서 싸운(일어난)」의 뜻으로 이해되는 예

(1) 육지의 전쟁

　= 육지에서 싸운 전쟁

(2) 구주의 대전

　= 구주에서 일어난 대전

(1)의「육지」도「육지에서 일어난」으로 풀어도 좋을 듯하다. (1),
(2) 모두 소기의 뜻을 나타낸다.

〈30〉「의」가「~에 대하여 지은(한)」의 뜻으로 이해되는 예

(1) 가을의 노래

　= 가을에 대하여 지은 노래

(2) 인물의 평론

　= 인물에 대하여 한 평론

(3) 현대시의 평

　= 현대시에 대하여 한 평

〈31〉「의」가「~에서 보고 느꼈던 (느낀)」의 뜻으로 이해되는 예

(1) 고향의 봄

　= 고향에서 보고 느꼈던 봄

이 예는 이원수의 "고향의 봄"을 인용한 것인데 그 완전한 뜻은
「고향에 온 봄에 대하여 지은 노래」로 풀이되나,「의」의 문맥적 뜻
을 풀이하려고 하니까 위와 같이 하는 수밖에 없을 것 같다.

〈32〉 「의」가 「~에 딸린」의 뜻으로 이해되는 예

(1) 한강의 근원

    = 한강에 딸린 근원

(2) 대한민국의 군인

    = 대한민국에 딸린 군인

(3) 사람의 아들

    = 사람에 딸린 아들

위 (1)~(3)의 「의」는 소속을 나타낸다.

〈33〉 「의」가 「~에 달하는」의 뜻으로 이해되는 예

(1) 최고의 인기

    = 최고에 달하는 인기

(2) 50여 명의 학생들이 한국어 수업을 들었다.

    = 50여 명에 달하는 학생들이 한국어 수업을 들었다.

(3) 러시아 사하린에 살고 있는 4만 명의 고려인을 위한 조선말 텔레비전 방송 채널이 2004년 8월 16일에 개국하였다.

    = 러시아 사하린에 살고 있는 4만 명에 달하는 고려인을 위한 조선말 텔레비전 방송 채널이 2004년 8월 16일에 개국되었다.

(4) 직능 단체를 포함한 500여 명의 동포 사회 관계자들이 참가하였다.

    = 직능 단체를 포함한 500여 명에 달하는 동포 사회 관계자들이 참가하였다.

(5) 이천여 명의 한인들에게 도움을 준 공로를 한결같이 인정 받아 한인상 수상자로 추천되었다.

= 1천여 명에 달하는 한인들에게 도움을 준 공로를 한결같이 인정받아 한인상 수상자로 추천되었다.

위의 (1)~(5)까지의 「~에 달하는」을 「이나 되는」으로 풀어도 좋을 것이다.

(6) 몇몇 사람의 지식인을 빼면 대부분의 인민이 글도 못 읽는 지경에 빠지고 말았다.

= 몇몇 사람에 달하는 지식인을 빼면 대부분에 달하는 인민이 글도 못 읽는 지경에 빠지고 말았다.

(7) 9일 장중 내내 큰폭의 하락세를 보였던 코스닥 지수는 하락세를 단숨에 만회하고…

= 9일 장중 내내 큰폭에 달하는 하락세를 보였던 코스닥 지수는 하락세를 단숨에 만회하고…

(8) 약 5만 명의 정치인과 가족들이 강금돼 있다.

= 약 5만 명에 달하는 정치인과 가족들이 강금돼 있다.

(9) 엄청난 규모의 파괴력을 행사할 수 있는 테러 집단의 등장을…

= 엄청난 규모에 달하는 파괴력을 행사할 수 있는 테러 집단의 등장을…

(10) 10g의 수은을 들어마신 그 사람은 여전히 건강하다.

= 10g에 달하는 수은을 들어마신 그 사람은 여전히 건강하다.

위의 예들에서 보는 바와 같이 「~에 달하는」으로 풀이되는 예는 어쩌면 「의」가 정도를 나타내는 것으로 보아야 할 것이다.

〈34〉「의」가「~에 관한 행사를 하는」의 뜻으로 이해되는 예

(1) 문화의 집

  = 문화에 관한 행사를 하는 집

(2) 예술의 전당

  = 예술에 관한 행사를 하는 전당

〈35〉「의」가「~에서 들어오는」의 뜻으로 이해되는 예

(1) 외국의 발암물질 장어 대응

  = 외국에서 들어오는 발음물질 장어 대응

〈36〉「의」가「~에서 또(다시) 나타나는」의 뜻으로 이해되는 예

(1) TV 속의 TV

  = TV 속에서 다시 나타나는 TV

위의 「TV 속에 TV」는 「TV 속에 있는 TV」로도 이해할 수 있는 일면도 있다.

〈37〉「의」가「~에 있는 것에서」의 뜻으로 이해되는 예

(1) 이 책에서 깨달은 것 중의 하나는 한글날이 경제 원리 때문에 공휴일에서 밀려났다는 사실이다.

  = 이 책에서 깨달은 것 중에 있는 것에서 하나는 한글날이 경제 원리 때문에 공휴일에서 밀려났다는 사실이다.

위의 「중의」를 「중에서」로 풀어도 괜찮을 것이다. 그러나 앞뒤 문맥을 보면 「여러 가지를 깨달았는데 그 중에서 하나」라는 뜻이므로 위의 밑줄 친 부분과 같이 풀이하였다.

⟨38⟩ 「의」가 「~에서 이어오는」의 뜻으로 이해되는 예

(1) 그와 마찬가지로 동양의 전통 사상을 깊이 알고 특히 윤리도덕
을 몸소 실천하기 위해서는 한문도 잘 배워야 한다.
= 그와 마찬가지로 동양에서 이어오는 전통 사상을 깊이 알고 특
히 윤리도덕을 몸소 실천하기 위해서는 한문도 잘 배워야 한다.

⟨39⟩ 「의」가 「~에서 발행한」의 뜻으로 이해되는 예

(1) 조선식산은행의 사보 '회심'에 실린 완전 군장의 '총후병사' 등이
그 대표적 사례이다.
= 조선식산은행에서 발행한 사보 '회심'에 실린 완전 군장의 '총
후병사' 등이 그 대표적 사례이다.

⟨40⟩ 「의」가 「~에 있어서」의 뜻으로 이해되는 예

(1) 현대의 어느 사회에서나 차별적이고 우월한 능력과 기술은 매우
당연하게도 부와 명예와 지위를 키우는 성공의 발판이 된다.
= 현대에 있어서 어느 사회에서나 차별적이고 우월한 능력과 기
술은 매우 당연하게도 부와 명예와 지위를 키우는 성공의 발
판이 된다.

(2) 일제말 친일 예술전의 핵심인 '반도총후 미술전'에 장우성과 함
께 일본 화부 추천작가로 추천되었고 일제 군국주의를 찬양 고
무하기 위한 선전 작업에도 앞장섰다.
= 일제말 친일 예술전에 있어서 핵심인 '반도총후 미술전'에 장우
성과 함께 일본 화부 추천작가로 추천되었고 일제 군국주의를

찬양, 고무하기 위한 선전 작업에도 앞장섰다.

〈41〉「의」가 「~에 의한」의 뜻으로 이해되는 예

(1) 선현의 동상이나 영정을 제작할 때는 정부의 사전 심의를 받도
   록 하였다.
   = 선현의 동상이나 영정을 제작할 때는 정부에 의한 사전 심의
     를 받도록 하였다.

위의 예에서 「정부에 의한」을 「정부가 실시하는」으로 푸는 것이
더 좋을 듯하다.

(2) 붕고의 땅 이름 琉覃은 일본 한자음으로는 규우탄이고 중국음으
   로는 츄탄인데 현지에서 구타미라고 하는 것은 한국 한자음 구
   담의 영향이다.
   = 붕고의 땅 이름 琉覃은 일본 한자음으로는 규우탄이고 중국음
     으로는 츄탄인데 현지에서 구타미라고 하는 것은 한국 한자음
     구담에 의한 영향이다.

〈42〉「의」가 「~에 조각하여 세워져 있는」의 뜻으로 이해되는 예

(1) 이는 전해 내려오는 초상화가 없어 덕수궁의 조각상을 근거로
   그려진 것을 사용하였기 때문이었다.
   = 이는 전해 내려오는 초상화가 없어 덕수궁에 조각하여 세워져
     있는 조각상을 근거로 그려진 것을 사용하였기 때문이었다.

위의 예에서 「덕수궁에 조각하여 세워져 있는」을 「덕수궁에 세

워져 있는」으로 풀어도 좋을 것이다.

〈43〉「의」가 「~에 그려진」의 뜻으로 이해되는 예

(1) 만원 짜리 종이 돈의 세종대왕 영정은 친일 경력이 있는 김기창
   의 작품이다.
   = 만원 짜리 종이돈에 그려진 세종대왕 영정은 친일 경력이 있
     는 김기창의 작품이다.

위에서 「종이돈에 그려진」을 「종이돈에 그려져 있는」으로 풀어
도 좋을 것이다.

(2) 1973년 6월 12일에 발행된 만원 짜리를 포함하여 이전의 종이돈
   도안으로 활용된 세종대왕 초상은 그 모습이 현재 만원 짜리와
   는 사뭇 달랐는데…
   = 1973년 6월 12일에 발행된 만원 짜리를 포함하여 이전에 그려
     진 종이돈 도안으로 활용된 세종대왕 초상은 그 모습이 현재
     만원 짜리와는 사뭇 달랐는데…

〈44〉「의」가 「~에서 자세한 해설을 해 놓은 것에 의하여」의 뜻으로 이해되는 예

(1) 글쓴이는 이때까지 이름만 겨우 알 정도의 언어가 여럿 있었는
   데 여기의 도움을 받아 비로소 알게 된 것이 많다.
   = 글쓴이는 이때까지 이름만 겨우 알 정도의 언어가 여럿 있었
     는데 여기에서 자세한 해설을 해 놓은 것에 의하여 도움을 받
     아 비로소 알게 돈 것이 많다.

⟨45⟩ 「의」가 「~에 그치는」의 뜻으로 이해되는 예

(1) 거의 모든 책에서 이전 정도의 기술로 일관하고 있으니 그냥 그
런 글로 만족할 수밖에 도리가 없었다.

= 거의 모든 책에서 이런 정도에 그치는 기술로 일관하고 있으
니 그냥 그런 글로 만족할 수밖에 도리가 없었다.

⟨46⟩ 「의」가 「~에 생기는」의 뜻으로 이해되는 예

(1) 책 한 권으로 늘어날 수도 있지만 그러했을 때의 장황함과 초점
의 흐림으로 인한 효과는 책에 대한 기대를 반감하는 결과를 가
져 올 수 있기 때문이다.

= 책 한 권으로 늘어날 수도 있지만 그러했을 때에 생기는 장황
함과 초점의 흐림으로 인한 효과는 책에 대한 기대를 반감하
는 결과를 가져 올 수 있기 때문이다.

⟨47⟩ 「의」가 「~에서 일컬어지는」의 뜻으로 이해되는 예

(1) 구마모토나 구마가와 들의 구마는 동물의 곰의 뜻이 아니고 음
으로 통하고 있다.

= 구마모토나 구마가와 들에서 일컬어지는 구마는 동물의 곰의
뜻이 아니고 음으로 통하고 있다.

⟨48⟩ 「의」가 「~에 따린」의 뜻으로 이해되는 예

(1) 동물의 곰

= 동물에 딸린 곰

「동물의 곰」은 전후 문맥에 따라서는 「동물인 곰」 또는 「동물이라는 곰」 등으로 해석될 수 있다.

(2) 이 기준은 일종의 보도 지침이자 업무 회피용 핑계거리가 될 수 있어 더 우려된다.
= 이 기준은 일종에 속하는 보도 지침이자 업무 회피용 핑계거리가 될 수 있어 더 우려된다.

〈49〉 「의」가 「~에서 쓰이었던」의 뜻으로 이해되는 예

(1) 백제의 말에 곰을 구마라고 했는데 이제 곰이라고 하는 음은 구마라는 음이 변한 것이라고 되어 있다.
= 백제에서 쓰이었던 말에 곰을 구마라고 했는데 이제 곰이라고 하는 음은 구마라는 음이 변한 것이라고 되어 있다.

〈50〉 「의」가 「~에 하는」의 뜻으로 이해되는 예

(1) 60년만의 친일파 청산
= 60년만에 하는 친일파 청산
(2) 얼마만의 드라마 출연
= 얼마 만에 하는 드라마 출연

〈51〉 「의」가 「~에 걸친」의 뜻으로 이해되는 예

(1) 언론이 국민의 목소리에 더 가까웠음을 우리는 지난 몇 십년의 역사에서 보아 왔다.
= 언론이 국민의 목소리에 더 가까웠음을 우리는 지난 몇 십년에 걸친 역사에서 보아 왔다.

〈52〉 「의」가 「~에 살고 있는」의 뜻으로 이해되는 예

(1) 인터넷 시대의 국민을 어떻게 설득할지 걱정이다.

= 인터넷 시대에 살고 있는 국민을 어떻게 설득할지 걱정이다.

〈53〉 「의」가 「~에서 일어난」의 뜻으로 이해되는 예

(1) 18세 이가나, 16번 홀의 기적

= 18세 이가나, 16번 홀에서 일어난 기적

〈54〉 「의」가 「~에서 성행하고 있는」의 뜻으로 이해되는 예

(1) 투기 막겠다고 내 놓은 신도시의 투기 바람

= 투기 막겠다고 내 놓은 신도시에서 성행하고 있는 투기 바람

〈55〉 「의」가 「~에 저술된」의 뜻으로 이해되는 예

(1) 고려시대의 계림유사에 장 醬曰密祖라고 있다고 아라이도 「동아」
에 밝히고 있듯이 말의 이동은 우리말 가마니, 남비, 나망위가
일본말 가마쓰, 나비 아마구이며…

= 고려 시대에 저술된 계림유사에 醬曰密祖라고 있다고 아라이
도 「동아」에 밝히고 있듯이 말의 이동은 우리말 가마니, 남비,
나망위가 일본말 가마쓰, 나비, 아마구이며…

〈56〉 「의」가 「~에 쓰이고 있는」의 뜻으로 이해되는 예

(1) 다니가와는 화훈간(1977)에서 데라가 지금의 조선말의 데루라면
원래 한어이다라고 했으며…

= 다니가와는 화훈간(1777)에서 "데라가 지금의 조선말에서 쓰
이고 있는 데루라면 원래 한어이다"라고 했으며…

〈57〉「의」가「~에서 한」의 뜻으로 이해되는 예

(1) 백제의 왕인 박사는 일본의 초빙으로 천자문과 논어 10 권을 가
지고 건너가 오오진왕 아들의 스승이 되어 글을 가르쳤다.

= 백제의 왕인 박사는 일본에서 한 초빙으로 천자문과 논어 10
권을 가지고 건너가 오오진왕 아들의 스승이 되어 글을 가르
쳤다.

〈58〉「의」가「~에 초래되는」의 뜻으로 이해되는 예

(1) 대학과 학문의 변화는 이렇게 하드웨어에만 머물러 있지 않다.

= 대학과 학문에 초래되는 변화는 이렇게 하드웨어에만 머물러
있지 않다.

(2) 홀소리와 닿소리의 변화가 없는 등 특징으로 보아 같은 알타이
말 겨레에 딸린다는 설이 가장 유력하다.

= 홀소리와 닿소리에 초래되는 변화가 없는 등 특징으로 보아
같은 알타이 말 겨레에 딸린다는 설이 가장 유력하다.

〈59〉「의」가「~에 의하여 강요된」의 뜻으로 이해되는 예

(1) 즉 약하고 강하고 열등하고 우월함에 따라 자신의 이름까지 타
인의 뜻대로 쓰게 되었다.

= 즉 약하고 강하고 열등하고 우월함에 따라 자신의 이름까지
타인에 의해 강요된 뜻대로 쓰게 되었다.

〈60〉「의」가「~에 강제로 시행되었던」의 뜻으로 이해되는 예

(1) 우리에게 있어서 일제 시대의 창씨개명은 훨씬 더 강제적이고
모독적인 것이었다.

= 우리에게 있어서 일제 시대에 강제로 시행되었던 창씨 개명은 훨씬 더 강제적이고 모독적인 것이었다.

〈61〉「의」가「~에 선정된」의 뜻으로 이해되는 예

(1) 오늘의 주인공

= 오늘에 선정된 주인공

위의「오늘에 선정된」을「오늘에 뽑힌 주인공」으로 풀어도 좋을 것이며「오늘에 받들어진 주인공」또는「오늘에 특별히 모신 주인공」등으로 풀어도 좋을 것이다.

〈62〉「의」가「~에 발생할」의 뜻으로 이해되는 예

(1) 경찰은 31개 중대 3천여 명을 배치해 만일의 세태에 대비했으나 충돌은 없었다.

= 경찰은 31개 중대 3천여 명을 배치해 만일에 발생할 사태에 대비했으나 충돌은 없었다.

〈63〉「의」가「~에 자랑스러울」의 뜻으로 이해되는 예

(1) 내가 내일의 박주영 되리

= 내가 내일에 자랑스러울 박주영 되리

〈64〉「의」가「~에 버려지고 있는」의 뜻으로 이해되는 예

(1) 지금의 서양말 오염은 우리 스스로가, 그것도 소위 지성인들이 앞다투어 가면서 국민 자존심을 망각하고 우리말을 욕되게 하고 있다는 것을 의식했으면 한다.

= 지금에 버려지고 있는 서양말 오염은 우리 스스로가, 그것도 소위 지성인들이 앞다투어 가면서 국민 자존심을 망각하고 우리말을 욕되게 하고 있다는 것을 의식했으면 한다.

〈65〉「의」가「~에 살고 있는」의 뜻으로 이해되는 예

(1) 자기 안에 자기가 살지 못하고 과거나 현재의 다른 사람이 자신을 지배하고 있어 자아가 약하고 주체성이 없듯이...

　= 자기 안에 자기가 살지 못하고 과거나 현재에 살고 있는 다른 사람이 자신을 지배하고 있어 자아가 약하고 주체성이 없듯이...

〈66〉「의」가「~이 쓰는」의 뜻으로 이해되는 예

(1) 우리말을 얕잡아 보고 강대국들의 언어를 따라 하는 것을 자랑스럽게 여기기까지 하고 있다고 볼 수 있다.

　= 우리말을 얕잡아 보고 강대국들이 쓰는 언어를 따라 하는 것을 자랑스럽게 여기기까지 하고 있다고 볼 수 있다.

〈67〉「의」가「~에 있어서 강대국이 된」의 뜻으로 이해되는 예

(1) 역사적으로 그 원인을 보면, 강대국인 중국을 비롯해서 오늘날의 미국에 이르면서 우리는 어느새 사대주의에 젖어 우리말을 얕잡아 보고 강대국들의 언어를 따라 하는 것을 자랑스럽게 여기기까지 하고 있다고 볼 수 있다.

　= 역사적으로 그 원인을 보면, 강대국인 중국을 비롯해서 오늘날에 있어서 강대국이 된 미국에 이르면서 우리는 어느새 사대주의에 젖어 우리말을 얕잡아 보고 강대국들의 언어를 따라 하는 것을 자랑스럽게 여기기까지 하고 있다고 볼 수 있다.

〈68〉「의」가「~에 늘부러져 있는」의 뜻으로 이해되는 예

(1) 눈과 귀를 거스르는 사방의 영어 조각으로 된 우리 언어 문화를 통해 우리 국민 신경증과 사회병리 현상을 일목요연하게 볼 수 있다고 할 수 있다.

= 눈과 귀를 거스르는 사방에 늘부러져 있는 영어 조각으로 된 우리 언어 문화를 통해 우리 국민 신경증과 사회 병리 현상을 일목요연하게 볼 수 있다고 할 수 있다.

〈69〉「의」가「~에 대하여」의 뜻으로 이해되는 예

(1) 젊은이들의 모범이 되어야 할, 나라를 위한다는 어른들까지 덩달아 우리말을 팽개치고 그 모임 이름을 유행하는 영어로 일색하고 있는 것은 웃지 못할 일들이다.

= 젊은이들에 대하여 모범이 되어야 할, 나라를 위한다는 어른들까지 덩달아 우리말을 팽개치고 그 모임 이름을 유행하는 영어로 일색하고 있는 것은 웃지 못할 일들이다.

〈70〉「의」가「~에 품기는」의 뜻으로 이해되는 예

(1) 한 여름 밤의 열기

= 한 여름 밤에 품기는 열기

〈71〉「의」가「~에 걸친」의 뜻으로 이해되는 예

(1) 신인 아나운서들은 2주일 동안의 방송 실무 연수를 막 마치고 나가려는 참이었다.

= 신인 아나운서들은 2주일 동안에 걸친 방송 실무 연수를 막 마치고 나가려는 참이었다.

(2) 1935년도 수업 시간표에 한 주일 두 시간의 중국어 시간을 해
  내셨다.
  = 1935년도 수업 시간표에 한 주일 두 시간에 걸친 중국어 시간
  을 해 내셨다.

〈72〉「의」가 「~에 해당하는」의 뜻으로 이해되는 예

(1) 15세 미만의 청소년들에게는 부적합하니 보지 못하게 지도해 주
  시기 바랍니다.
  = 15세 미만에 해당하는 청소년에게는 부적합하니 보지 못하게
  지도해 주시기 바랍니다.

〈73〉「의」가 「~당당하게 존재하는」의 뜻으로 이해되는 예

(1) 어렵사리 성사한 대통령과 야당대표의 대화라면 적어도 경제를 비
  롯한 국민의 삶의 문제, 이념 갈등을 탈피하는 등의 국민 화합의
  문제 등 남북 문제 세계 속의 한국을 모색하는 세계화 문제 그리고
  한미 관계 등 안보 문제가 폭넓게 논의되었어야 할 것 아닌가.
  = 어렵사리 성사한 대통령과 야당 대표의 대화라면 적어도 경제
  를 비롯한 국민의 삶의 문제, 이념 갈등을 탈피하는 등의 국민
  화합의 문제 등 남북 문제, 세계 속에 당당하게 존재하는 한국
  을 모색하는 세계화 문제 그리고 한미관계 등 안보 문제가 폭
  넓게 논의되었어야 할 것 아닌가.

〈74〉「의」가 「~에서도 신을 믿은」의 뜻으로 이해되는 예

(1) 구한말 일제 치하의 종교가이며 사상가이다.
  = 구한말 일제 치하에서도 신을 믿은 종교가이며 사상가이다.

〈75〉「의」가「~에 걸맞는」의 뜻으로 이해되는 예

(1) 새 천년에 들어서서 시대의 요구에 맞춰 엄청난 국고를 들여 만
들 새 지폐에 친일 행위자로 의심받는 이가 그린 영정을 계속 쓸
수는 없습니다.

= 새 천년에 들어서서 <u>시대에 걸맞는</u> 요구에 맞춰 엄청난 국고
를 들여 만들 새 지폐에 친일 행위자로 의심받는 이가 그린 영
정을 계속 쓸 수는 없습니다.

위의 풀이한 밑줄 부분을 「시대가 바라는」으로 풀어도 큰 무리는
없을 것이다.

〈76〉「의」가「~에서 연구하고 있는」의 뜻으로 이해되는 예

(1) 통일을 대비해서 남북한의 학자들이 함께 모여 우리 말글을 연
구하는 기회를 만들도록 노력해야 하겠습니다.

= 통일을 대비해서 <u>남북한에서 연구하고 있는</u> 학자들이 함께 모
여 우리 말글을 연구하는 기회를 만들도록 노력해야 하겠습니
다.

위의 풀이에서 밑줄 그은 부분을 「남북한에 있는」으로 풀어도 좋
을 것이다.

〈77〉「의」가「~에서 하고 있는」의 뜻으로 이해되는 예

(1) 각 나라의 한국어 교육 현황
= 각 나라에서 하고 있는 한국어 교육 현황

〈78〉「의」가「~에서 경영하고 있는」의 뜻으로 이해되는 예

(1) 과연 우리 나라의 기업 특히 대기업은 대학에서 어떤 인재를 키워 내길 원하는 가가 궁금해서였다.

= 과연 우리 나라에서 경영하고 있는 기업, 특히 대기업은 대학에서 어떤 인재를 키워 내길 원하는가가 궁금해서였다.

〈79〉「의」가「~에서 기인하는」의 뜻으로 이해되는 예

(1) 이와 같은 이공계 기피 현상, 그리고 그 뒤를 잇는 대학 교육의 경쟁력 저하 등에 대한 많은 지적이 있은 뒤, 대책에 대한 토론이 있었다.

= 이와 같은 이공계 기피 현상, 그리고 그 뒤를 잇는 대학 교육에서 기인하는 경쟁력 저하 등에 대한 많은 지적이 있은 뒤, 대책에 대한 토론이 있었다.

〈80〉「의」가「~에서 버러지고 있는」의 뜻으로 이해되는 예

(1) 아니 전설이 아니라, 눈앞의 현실이라는, 그래서 권력의 문제로 직결된다는 대중적 확산이 있기 때문이다.

= 아니 전설이 아니라, 눈앞에서 버러지고 있는 현실이라는, 그래서 권력의 문제로 직결된다는 대중적 확신이 있기 때문이다.

〈81〉「의」가「~에서 발행하는」의 뜻으로 이해되는 예

(1) 그 사회적 규정인 모국어가 혼탁해지는 한, 국가적 차원의 경쟁력 약화는 피할 수 없다.

= 그 사회적 규정인 모국어가 혼탁해지는 한, 국가적 차원에서 발생하는 경쟁력 약화는 피할 수 없다.

〈82〉「의」가「~에서 시행하고 있는」의 뜻으로 이해되는 예

(1) 그것은 오히려 한글 운동을 하는 사람들의 책무며, 크게 보자면 우리 나라의 언어 정책에서 모국어와 외국어의 관계를 어떤 식으로 설정해 갈 것인가에 대한 해답을 준비하는 과정이다.

= 그것은 오히려 한글 운동을 하는 사람들의 책무며 크게 보자면 우리나라에서 시행하고 있는 언어 정책에서 모국어와 외국어의 관계를 어떤 식으로 설정해 갈 것인가에 대한 해답을 준비하는 과정이다.

〈83〉「의」가「~에 해당하는」의 뜻으로 이해되는 예

(1) 마치 대졸 신입사원이 회사에 들어와 한 달만에 부장급의 역량을 발휘하길 원하는 것과 무엇이 다르겠는가?

= 마치 대졸 신입사원이 회사에 들어와 한 달만에 부장급에 해당하는 역량을 발휘하길 원하는 것과 무엇이 다르겠는가?

〈84〉「의」가「~에 부과되는」의 뜻으로 이해되는 예

(1) 10년 공부하고도 영어 한 마디 못 한다는 말에는 분명 우리 영어 교육의 문제점을 비판하는 일말의 진실이 들어 있지만, 다른 한편에는 영어로 빌어 먹는 사람들의 상술이나 정치 공작의 혐의가 짙다.

= 10년 공부하고도 영어 한마디 못한다는 말에는 분명 우리 영어 교육에 부과되는 문제점을 비판하는 일말의 진실이 들어 있지만 다른 한편에는 영어로 빌어 먹는 사람들의 상술이나 정치공작의 혐의가 짙다.

〈85〉「의」가「~에서 실시한」의 뜻으로 이해되는 예

(1) 중국에서의 KLPT 무허가 시험 및 불법 건

　= 중국에서 실시한 KLPT 무허가 시험 및 불법 건

〈86〉「의」가「~에서 내리는」의 뜻으로 이해되는 예

(1) 본부의 지시 사항만 수행해야 한다.

　= 본부에서 내리는 지시 사항만 수행해야 한다.

〈87〉「의」가「~에 존재하고 있는」의 뜻으로 이해되는 예

(1) 아니면 인간 사회의 어쩔 수 없는 불평등으로 돌리는 게 낫다.

　= 아니면, 인간 사회에 존재하고 있는 어쩔 수 없는 불평등으로
　　돌리는 게 낫다.

〈88〉「의」가「~에 벌어지는」의 뜻으로 이해되는 예

(1) 부족 간의 대혈전

　= 부족 간에 벌어지는 대혈전

〈89〉「의」가「~에서 이루어 낸」의 뜻으로 이해되는 예

(1) 북·미 제네바의 합의

　= 북·미 제네바에서 이루어 낸 합의

위의「의」를「제네바에서 한」으로 풀어도 좋을 것으로 생각된다.

〈90〉「의」가「~에 개장된」의 뜻으로 이해되는 예

(1) 오늘의 증시

= 오늘에 개장된 증시

〈91〉「의」가「~에 결혼한」또는「~에 결혼할」의 뜻으로 이해되는 예

(1) 오월의 신부

= 오월에 결혼한 신부 또는 오월에 결혼할 신부

위의「오월의 신부」가 두 가지 뜻으로 이해되는 것은 문맥 또는 상황에 따라 그렇게 이해된다.

〈92〉「의」가「~에서 가장 아름다운」의 뜻으로 이해되는 예

(1) 꽃 중의 꽃

= 꽃 중에서 가장 아름다운 꽃

이런 예는 월에 따라 여러 가지로 풀이된다. 다음에 예를 더 들어 보기로 한다.

(2) 남자 중의 남자

= 남자 중에서 가장 훌륭한 남자

위의 풀이는 또「남자 중에서 가장 씩씩한 (남자다운)남자」의 뜻으로도 이해된다. 이와 유사한 예는 얼마든지 있을 수 있다.

〈93〉「의」가 「~에 빠져 있는」의 뜻으로 이해되는 예

(1) 비운의 도시 갤버스턴 105년 전 악몽에 떤다.

　　= 비운에 빠져 있는 도시 갤버스턴 105년 전 악몽에 떤다.

〈94〉「의」가 「~에 나타나 있는」의 뜻으로 이해되는 예

(1) 국회 의사당의 이상한 풍경

　　= 국회 의사당에 나타나 있는 이상한 풍경

위의 뜻을 다시 「국회 의사당에 나타났던 이상한 풍경」으로 풀어
도 된다. 왜냐하면 이 글을 쓴 때에 따라 그렇게 볼 수 있기 때문이다.

〈95〉「의」가 「~에 치루어졌던」의 뜻으로 이해되는 예

(1) 오늘의 스포츠

　　= 오늘에 치루어졌던 스포츠

위의 「의」는 「오늘에 있었던」으로 풀어도 좋을 듯하다.

〈96〉「의」가 「~에 있었던 일과 사건 사고에 대한」의 뜻으로 이
　　　해되는 예

(1) 오늘의 뉴스

　　= 오늘에 있었던 일과 사건 사고에 대한 뉴스

〈97〉「의」가 「~에 꾸려가는 」의 뜻으로 이해되는 예

(1) 일반 국민들이 살아 가는 일상의 생활과 업무 등에서 영어를 사
　　용할 필요성이 그리 높지 않으므로 영어 구사력이 뛰어난 전문

가를 양성하면 된다는 견해다.

= 일반 국민이 살아 가는 일상에 꾸려 가는 생활과 업무 등에서 영어를 사용할 필요성이 그리 높지 않으므로 영어 구사력이 뛰어난 전문가를 양성하면 된다는 견해다.

〈98〉「의」가「~에서 받은」의 뜻으로 이해되는 예

(1) 대학에서는 졸업할 때에 특정 영어 시험의 성적을 요구하게 되었다.

= 대학에서는 졸업할 때에 특정 영어 시험에서 받은 성적을 요구하게 되었다.

〈99〉「의」가「~에서 판매하는」의 뜻으로 이해되는 예

(1) 강화도의 외포 새우젓

= 강화도에서 판매하는 외포 새우젓

〈100〉「의」가「~에 처해 있는」의 뜻으로 이해되는 예

(1) 위기의 주부들

= 위기에 처해 있는 주부들

위의 「의」를 「위기를 당면한 주부들」로도 풀 수 있을 것 같다.

〈101〉「의」가「~에 실린」의 뜻으로 이해되는 예

(1) 지난 40년 동안 발행된 미국 잡지의 걸작 표지

= 지난 40년 동안 발행된 미국 잡지에 실린 걸작 표지

⟨102⟩ 「의」가 「~에 존재하는」의 뜻으로 이해되는 예

(1) 한국 속의 또 하나의 필리핀

= 한국 속에 존재하는 또 하나의 필리핀

⟨103⟩ 「의」가 「~에 소개하는」의 뜻으로 이해되는 예

(1) 오늘의 옥션

= 오늘에 소개하는 옥션

위를 「오늘에 광고하는」으로 풀어도 괜찮을 것이다.

⟨104⟩ 「의」가 「~에서 시작되는」의 뜻으로 이해되는 예

(1) 파리 폭동 '유럽의 겨울' 전주곡 되나.

= 파리 폭동 '유럽에서 시작되는 겨울' 전주곡 되나

위의 밑줄 부분을 "유럽에서 맞이할 겨울"로 풀어도 좋을 듯하다.

⟨105⟩ 「의」가 「~에 살고 있는」의 뜻으로 이해되는 예

(1) 기성 세대가 가정과 학교에서의 사회화와 반사회화 과정 이후에
   인터넷을 접한다면 지금의 청소년들은 인터넷을 통해 사회화와
   비사회화의 과정을 거치고 있다.

   = 기성 세대가 가정과 학교에서의 사회화와 반사회화 과정 이후
     에 인터넷을 접한다면 지금에 살고 있는 청소년들은 인터넷을
     통해 사회화와 비사회화의 과정을 거치고 있다.

〈106〉「의」가「~에서 거친」의 뜻으로 이해되는 예

(1) 기성 세대가 가정과 학교에서의 사회화와 비사회화 과정 이후에
   인터넷을 접한다면, 지금의 청소년들은 인터넷을 통해 사회화와
   비사회화의 과정을 거치고 있다.

= 기성 세대가 가정과 학교에서 거친 사회화와 비사회화 과정
   이후에 인터넷을 접한다면, 지금의 청소년들은 인터넷을 통해
   사회화와 비사회화의 과정을 거치고 있다.

위에서 「학교에서 거친」을 「학교에서 겪은」으로 풀어도 합당할
것 같다.

〈107〉「의」가「~에 붙어 있는」의 뜻으로 이해되는 예

(1) 생강의 흙을 털어 버린다.
   = 생강에 붙어 있는 흙을 털어 버린다.

〈108〉「의」가「~에 의하여 보는」의 뜻으로 이해되는 예

(1) 울금의 효능
   = 울금에 의하여 보는 효능

위의 풀이에 대신하여 「울금이 주는 효능」으로 풀어도 좋을 것이
다.

〈109〉「의」가「~에 입은」의 뜻으로 이해되는 예

(1) 마음의 상처
   = 마음에 입은 상처

〈110〉「의」가「~에 불어난」의 뜻으로 이해되는 예

(1) 몸의 군살을 보면 기분이 좋지 않았다.

　= 몸에 불어난 군살을 보면 기분이 좋지 않았다.

〈111〉「의」가「~에 말미암은」의 뜻으로 이해되는 예

(1) 프랑스 통합 정책의 실패

　= 프랑스 통합 정책에 말미암은 실패

위에서 「정책에 말미암은」을 「정책으로 말미암은」으로 풀어도
될 것 같다.

〈112〉「의」가「~에 들을 수 있는」의 뜻으로 이해되는 예

(1) 중년의 희소식

　= 중년에 들을 수 있는 희소식

〈113〉「의」가「~에 있었던 것보다」의 뜻으로 이해되는 예

(1) '비블 절정기' 89년의 4배

　= '비블 절정기' 89년에 있었던 것보다 4배

〈114〉「의」가「~에(서) 일어나는」의 뜻으로 이해되는 예

(1) 전주의 변화… 전통 문화가 곧 경쟁력

　= 전주에서 일어나는 변화… 전통 문화가 곧 경쟁력

〈115〉「의」가「~에서 일어날」의 뜻으로 이해되는 예

(1) 세대 갈등의 시한 폭탄 '국민연금'

= 세대 갈등에서 일어날 시한 폭탄 '국민연금'

〈116〉「의」가 「~에 얻을 수 있는」의 뜻으로 이해되는 예

(1) 달짝지근 쫄깃…2,000원의 행복

   = 달짝지근 쫄깃…<u>2,000원에 얻을 수 있는 행복</u>

위의 밑줄 부분을 「2,000원으로 얻을 수 있는 행복」으로 풀어도 좋을 것이다.

〈117〉「의」가 「~에서 입은」의 뜻으로 이해되는 예

(1) 고향의 은혜를 갚고 싶은 것이 솔직한 심경입니다.

   = 고향에서 입은 은혜를 갚고 싶은 것이 솔직한 심경입니다.

위에서 「고향에서 입은 은혜」를 「고향으로부터 입은 은혜」로 푸는 것이 더 나을 것 같다.

〈118〉「의」가 「~에서 맺은」의 뜻으로 이해되는 예

(1) 프라하의 연인

   = 프라하에서 맺은 연인

위의 「프라하에서 맺은」은 전후 문맥에 따라 「프라하에 있는」의 뜻으로 이해될 수 있을 것이다.

〈119〉「의」가「~에 누릴 수 있는」의 뜻으로 이해되는 예

(1) 황혼의 보람을 찾아서

= 황혼에 누릴 수 있는 보람을 찾아서

〈120〉「의」가「~에 방송하는」의 뜻으로 이해되는 예

(1) 주말의 MBC

= 주말에 방송하는 MBC

위의「주말에 방송하는」의 참된 뜻은「주말에 특별한 프로로 방송하는」이다.

〈121〉「의」가「~에서 볼 수 있는」의 뜻으로 이해되는 예

(1) 태국의 숨겨진 매력

= 태국에서 볼 수 있는 숨겨진 매력

〈122〉「의」가「~에 찬」의 뜻으로 이해되는 예

(1) 열정의 무대를 꿈꾼다.

= 열정에 찬 무대를 꿈꾼다.

위의「열정에 찬」을「열정으로 가득 찬」으로 풀어도 좋을 것이다.

〈123〉「의」가「~에 지나지 않는」의 뜻으로 이해되는 예

(1) 최소한의 보상은 이루어져야 한다.

= 최소한에 지나지 않는 보상은 이루어져야 한다.

〈124〉「의」가「~에 당선될」의 뜻으로 이해되는 예

(1) 뒷날의 민의원 의장

　= 뒷날에 당선될 민의원 의장

〈125〉「의」가「~이 ~에 하여 주신」의 뜻으로 이해되는 예

(1) 선생님의 이 날의 충고는 그 후 내게로 약이 되었다.

　= 선생님이 이 날에 하여 주신 충고는 그 후 내게로 약이 되었다.

〈126〉「의」가「~에 명성을 떨치고 있는」의 뜻으로 이해되는 예

(1) 지금의 이화여자대학교

　= <u>지금에 명성을 떨치고 있는</u> 이화여자대학교

위의 밑줄 부분을「지금에 당당히 그 존재를 들어내고 있는」으로 푸는 것이 더 문맥에 알맞은 풀이가 아닐까?

〈127〉「의」가「~에 하고 있었던」의 뜻으로 이해되는 예

(1) 지난날의 내 모습

　= 지난날에 하고 있었던 내 모습

〈128〉「의」가「~에 딸린 ~에 딸린」의 뜻으로 이해되는 예

(1) 1947년의 늦가을의 어느 토요일 밤이었다고 기억된다.

　= 1947년에 딸린 늦가을에 딸린 어느 토요일 밤이었다고 기억된다.

〈129〉「의」가「~에 이루어진」의 뜻으로 이해되는 예

(1) 오늘의 성공은 감동적이었다.

　= <u>오늘에 이루어진</u> 성공은 감동적이었다.

위의 밑줄 그은 예에서 보면「~지다」는「완료」의 뜻으로 이해된다.

〈130〉「의」가「~에서 발행하여 준」의 뜻으로 이해되는 예

(1) 이 밖에 또 하나의 큰 재산이 조선어학회의 신분증이었다.

　= 이 밖에 또 하나의 큰 재산이 조선어학회에서 발행하여 준 신
　　분증이었다.

〈131〉「의」가「~에 기인한」의 뜻으로 이해되는 예

(1) 망국의 뿌리가 사대주의에 있다고 보았기 때문일 것이다.

　= 망국에 기인하는 뿌리가 사대주의에 있다고 보았기 때문일 것
　　이다.

〈132〉「의」가「~에서 말하는」의 뜻으로 이해되는 예

(1) 성리학의 사대주의와 화이론을 제대로 안다면 새삼스러운 게 하
　　나도 없는 현상이다.

　= 성리학에서 말하는 사대주의와 화이론을 제대로 안다면 새삼
　　스러운게 하나도 없는 현상이다.

〈133〉「의」가「~에 의하여 나타나는」의 뜻으로 이해되는 예

(1) 행위의 도덕성에 초점을 맞춘다.

　= 행위에 의하여 나타나는 도덕성에 초점을 맞춘다.

〈134〉 「의」가 「~에 스며 있는」의 뜻으로 이해되는 예

(1) 논리학이나 말의 의미를 되묻는 반성적 전통은 매우 가난한 편
이다.

= 논리학이나 말에 스며 있는 의미를 되묻는 반성적 전통은 매
우 가난한 편이다.

〈135〉 「의」가 「~에서 쓰이고 있는」의 뜻으로 이해되는 예

(1) 한자란 매개가 중국의 다양한 방언을 넘어 통일성을 유지할 수
있게 만들었다.

= 한자란 매개체가 중국에서 쓰이고 있는 다양한 방언을 넘어
통일성을 유지할 수 있게 만들었다.

(2) 上·大·神·神聖을 뜻하는 우리말의 '곰·검·금', 일본말의 '가미,
가무' 아이누말의 '가무이(態神)'와 같은 말이라고 한 대목이 있
다.

= 上·大·神·神聖을 뜻하는 우리말에 쓰이고 있는 '곰·검·금',
일본말에 쓰이고 있는 '가미, 가무' 아이누말에서 쓰이고 있는
'가무이(態神)'와 같은 말이라고 한 대목이 있다.

〈136〉 「의」가 「~에서 지켜져야 할」의 뜻으로 이해되는 예

(1) 사대는 자연의 질서에 따르는 사회의 질서이며 보편적인 예라고
선정되었다.

= 사대는 자연의 질서에 따르는 사회에서 지켜져야 할 질서이며
보편적인 예라고 선정되었다.

⟨137⟩ 「의」가 「~에서 제일 가는」의 뜻으로 이해되는 예

(1) 꽃 중의 꽃 무궁화꽃 삼천만이 가슴에
    = 꽃 중에서 제일 가는 꽃 무궁화 꽃 삼천만의 가슴에.

⟨138⟩ 「의」가 「~에(서) 필요한」의 뜻으로 이해되는 예

(1) 자연어 중심 시대의 인터넷 주소
    = 자연어 중심 시대에 필요한 인터넷 주소.

⟨139⟩ 「의」가 「~에서 불어오는」의 뜻으로 이해되는 예

(1) 기타에 실린 격렬한 리듬 카리브의 해풍을 타고
    = 기타에 실린 격렬한 리듬 카리브해에서 불어오는 해풍을 타고

⟨140⟩ 「의」가 「~에 상당하는」의 뜻으로 이해되는 예

(1) 4년 간 19여 역원 상당의 접대와 향응 등을 받은 것으로 검찰 조
    사에서 나타났다.
    = 4년 간 <u>19여 억원에 상당하는</u> 접대와 향응 등을 받았던 것으
    로 검찰 조사에서 나타났다.

위의 밑줄 부분에서 보면 「19여억 원 상당의」를 바르게 풀이하기
위하여 「19여억 원」에 토씨 「에」를 첨가하고 「상당의」를 「상당하
는」으로 풀이하였다.

⟨141⟩ 「의」가 「~에 있어서 불가피한」의 뜻으로 이해되는 예

(1) 고려시대에 이두의 쓰임이 제한된 것은 저를 낮추었다기보다 중
    세사회의 필연적 귀결이 아니다.

= 고려시대에 이두의 쓰임이 제한된 것은 저를 낮추었다기보다
중세사회에 있어서 불가피한 필연적 귀결이 아니다.

〈142〉「의」가 「~에서 나온」의 뜻으로 이해되는 예

(1) '이세'와 '이소'가 같은 뿌리의 말이란 증거다.

= '이세'와 '이소'가 같은 뿌리에서 나온 말이란 증거다.

〈143〉「의」가 「~에 겪고 있는」의 뜻으로 이해되는 예

(1) 시하의 고통을 파탈하려 하면...

= 시하에 겪고 있는 고통을 파탈하려 하면...

〈144〉「의」가 「~에 마음먹었던」의 뜻으로 이해되는 예

(1) 힘차게 전진했던 그때의 초심으로 돌아가 힘들었던 과거가 헛되
지 않도록 다시 한번 힘껏 비상하겠습니다.

= 힘차게 전진했던 그때에 마음먹었던 초심으로 돌아가 힘들었
던 과거가 헛되지 않도록 다시 한번 함껏 비상하겠습니다.

〈145〉「의」가 「~에 간행한」의 뜻으로 이해되는 예

(1) 이번의 새로운 역사 교과서는 전반적인 일본의 보수화, 우익화
경향과 맞물려 상당히 많이 채택될 수도 있을 것으로 염려된다.

= 이번에 간행한 새로운 역사 교과서는 전반적인 일본의 우익
화, 우익화 경향과 맞물려 상당히 많이 채택될 수도 있을 것으
로 염려된다.

〈146〉「의」가 「~적으로 ~에서 일어나고 있는」의 뜻으로 이해
되는 예

(1) 이번의 새로운 역사 교과서는 전반적인 일본의 보수화, 우익화
경향과 맞물려 상당히 많이 채택될 수도 있을 것으로 염려된다.
= 이번의 새로운 역사 교과서는 전반적으로 일본에서 일어나고
있는 보수화, 우익화, 경향과 맞물려 상당히 많이 채택될 수도
있을 것으로 염려된다.

〈147〉「의」가 「~에 발병하고 있는」의 뜻으로 이해되는 예

(1) 오늘날의 당뇨병을 말한다.
= 오늘날에 발병하고 있는 당뇨병을 말한다.

〈148〉「의」가 「~에서 맞이하는」의 뜻으로 이해되는 예

(1) 서울의 밤
= 서울에서 맞이하는 밤

위의 밑줄 부분을 문맥에 따라서는 「서울에 다가 온 밤」 또는 「서
울에 내린 밤」 또는 「서울에 다가 올 밤」으로 해석할 수 있을 것이
다.

〈149〉「의」가 「~에 걸쳐 있었던」의 뜻으로 이해되는 예

(1) 100년 간 네 번의 전쟁, 반세기 분단 등, 숙명처럼 받아들인 민
족 수난도 마침내 종식된다.
= 100년 간 네 번에 걸쳐 있었던 전쟁 반세기 분단 등 숙명처럼
받아들인 민족 수단도 마침내 종식된다.

위의 밑줄 부분을 「네 번이나 있었던」으로 풀이하는 것이 더 자연스럽게 느껴진다.

〈150〉「의」가 「~에서 돌아가고 있는」의 뜻으로 이해되는 예

(1) 십자로의 주마등이냐?

= <u>십자로에서 돌아가고 있는</u> 주마등이냐?

위의 밑줄 부분은 앞뒤 문맥에 따라 「십자로에 설치되어 있는」으로도 해석될 수 있겠다.

〈151〉「의」가 「~에 따른 강압에 의한」의 뜻으로 이해되는 예

(1) 구시대의 유물인 침략주의, 강권주의의 희생을 작하야…

= 구시대의 유물인 침략주의 강권주의에 따른 강압에 의한 희생을 작하야…

〈152〉「의」가 「~에 있어서 이룩한」의 뜻으로 이해되는 예

(1) 특히 IT 분야의 성장은 우리가 따르고자 했던 선진 외국이 오히려 우리를 벤치마크하는 상황에 이른 것이다.

= 특히 IT 분야에 있어서 이룩한 성장은 우리가 따르고자 했던 선진 외국이 오히려 우리를 벤치마크하는 상황에 이른 것이다.

〈153〉「의」가 「~에 밝게 보아야 하는」의 뜻으로 이해되는 예

(1) 80년 5월의 눈으로 김정일 야만 통치 직시하다.

= 80년 <u>5월에 밝게 보아야 하는</u> 눈으로 김정일 야만통치 작시하라.

위의 밑줄 부분을 문맥에 따라 「5월에 직시한」 또는 「5월에 바로
보았던」 등으로 해석할 수도 있겠다.

〈154〉 「의」가 「~에 하였던」의 뜻으로 이해되는 예

(1) 진보나 합리의 언저리에 접근할 수 있는 사회가 되었으니 과거
   의 투자가 빛을 발하고 있는 셈이다.

   = 진보나 합리의 언저리에 접근할 수 있는 사회가 되었으니 과
   거에 하였던 투자가 빛을 발하고 있는 셈이다.

〈155〉 「의」가 「~에서도 아주 독한」의 뜻으로 이해되는 예

(1) 이 국민에 대해 독 중의 독이라고.

   = 이 국민에 대해 독 중에서도 아주 독한 독이라고.

〈156〉 「의」가 「~에 있을 수 있는」의 뜻으로 이해되는 예

(1) 선생님이 돌아가신 후의 일을 좀 말씀 드리고 싶습니다.

   = 선생님이 돌아가신 후에 있을 수 있는 일을 좀 말씀 드리고 싶
   습니다.

(2) 장래의 위협을 삼제하려 하면...

   = 장래에 있을 수 있는 위협을 삼제하려 하면...

위의 밑줄 부분을 앞뒤 문맥에 따라 「장래에 우리가 대처하여야
할」로 해석하여도 좋겠다.

⟨157⟩ 「의」가 「~에 속했던」의 뜻으로 이해되는 예

(1) 나도 그 중의 한 사람이었다.

   = 나도 그 중에 속했던 한 사람이었다.

⟨158⟩ 「의」가 「~에 소속되어 있는」의 뜻으로 이해되는 예

(1) 먼저 학술대를, 몽고는 물론 만주의 변경에 보내어 몽고말과 만
   주 말을 연구하게 하고...

   = 먼저 학술대를 몽고는 물론 만주에 소속되어 있는 변경에 보
   내어 몽고말과 만주말을 연구하게 하고...

⟨159⟩ 「의」가 「~에 있을 예정인」의 뜻으로 이해되는 예

(1) 전당대회는 10일의 예비선거와 여러 면에서 다르다.

   = 전당대회는 10일에 있을 예정인 예비선거와 여러 면에서 다르
   다.

⟨160⟩ 「의」가 「~에 등장하는」의 뜻으로 이해되는 예

(1) 한국의 모든 청년들은 마침내 한 사람 남김없이 모험소설의 주
   인공이 되고 말았다.

   = 한국의 모든 청년들은 마침내 한사람 남김없이 모험소설에 등
   장하는 주인공이 되고 말았다.

⟨161⟩ 「의」가 「~에서 사물의 유무를 알아내는」의 뜻으로 이해
     되는 예

(1) 암흑의 달인

   = 암흑에서 사물의 유무를 알아내는 달인

〈162〉「의」가「~에 다른」의 뜻으로 이해되는 예

(1) 나는 일찍이 당신 이외의 여인을 사랑해 본 적이 없습니다.

= 나는 일찍이 당신 이외에 다른 여인을 사랑해 본 적이 없습니다.

〈163〉「의」가「~에 위치하고 있는」의 뜻으로 이해되는 예

(1) 주상하이 한국 총영사관도 기흥시의 김구 도서관 건립을 지원할 방침이다.

= 주상하이 한국 총영사관도 기흥시에 위치하고 있는 김구 도서관 건립을 지원할 방침이다.

〈164〉「의」가「~에서 일어날」의 뜻으로 이해되는 예

(1) 코앞의 내일조차도 내다보지 못하는 정부를 어떻게 믿고 살란 말인가?

= 코앞에서 일어날 내일조차도 내다보지 못하는 정부를 어떻게 믿고 살란 말인가?

〈165〉「의」가「~에 나타나는」의 뜻으로 이해되는 예

(1) 손전화의 큼직한 광고판은 세계 어디 가나 볼 수 있다.
= 손전화에 나타나는 큼직한 광고판은 세계 어디 가나 볼 수 있다.

〈166〉「의」가「~에 있을 일에 관한 것이」의 뜻으로 이해되는 예

(1) 단카이들의 50조 엔의 퇴직금을 싸들고 나 몰라라 대량 퇴장한다는 것이 이른바 2007년의 핵심이다.

= 단카이들의 50조 엔의 퇴직금을 싸들고 나 몰라라 대량 퇴장
한다는 것이 이른바 2007년에 있을 일에 관한 것이 핵심이다.

〈167〉「의」가 「~에서 찾아 볼 수 있는」의 뜻으로 이해되는 예

(1) 하지만 단카이 현상의 본질을 보다 정확히 보여 주는 것은 그들
의 자녀 세대인 30대 즉 '단카이 주니어'들이다.

= 하지만 <u>단카이 현상에서 찾아 볼 수 있는</u> 본질을 보다 정확히
보여 주는 것은 그들의 자녀 세대인 30대 즉 '단카이 주니어'들
이다.

위의 밑줄 부분을 「단카이 현상이 간직하고 있는」으로 풀어도 좋
을 것으로 생각된다.

〈168〉「의」가 「~에 선정된」의 뜻으로 이해되는 예

(1) 이 달의 독서왕

= <u>이 달에 선정된</u> 독서왕

위의 밑줄 부분을 「이 달에 우리가 가려서 뽑은」으로 풀이하여도
좋을 것 같다.

〈169〉「의」가 「~에 생겨난」의 뜻으로 이해되는 예

(1) 이렇게 들이대도 시원치 않을 만큼 성장 시대의 과실을 독점한
세대에게 '제발 떠나지 말아 주세요' 하여 구애를 하고 있으니 말
이다.

= 이렇게 들이대도 시원치 않을 만큼 성장 시대에 생겨난 과실을 독접한 세대에게 '제발 떠나지 말아 주세요' 하며 구애를 하고 있으니 말이다.

〈170〉「의」가「~에 떤」의 뜻으로 이해되는 예

(1) 공포의 76시간
= 공포에 떤 76시간

〈171〉「의」가「~에게서 풍기는」의 뜻으로 이해되는 예

(1) 회원들은 박사님의 그 인자하신 얼굴과 겸허하신 말씀에 고개가 숙여졌다.
= 회원들은 <u>박사님에게서 풍기는</u> 그 인자하신 얼굴과 겸허하신 말씀에 고개가 숙여졌다.

위의 밑줄 부분을 제대로 옳게 풀이 하려면「박사님이 지으시고 하신」으로 풀어야 할 것이다.

〈172〉「의」가「~에 기억나는」의 뜻으로 이해되는 예

(1) 오승환 "가을의 전설" 고쳐 쓰다.
= 오승환 "가을에 기억나는 전설" 고쳐 쓰다.

위의 밑줄 부분을「가을에 들을 수 있는」또는「가을에 들려 오는」등으로 풀이 될 수도 있을 것이다.

〈173〉「의」가「~에 남는」또는「추억 나는」등으로 이해될 수
      있는 예

(1) 추억의 교실
    = 추억에 남는 교실, 또는 추억 나는 교실

〈174〉「의」가「에서」로 이해되는 예

(1) 국경의 남쪽
    = <u>국경에서</u> 남쪽

위의 밑줄 그은 부분을「국경보다」또는「국경에서보다」로 푸는
것이 더 좋지 않을까 생각된다.

〈175〉「의」가「~에 있었던」으로 풀이되는 예

(1) 어제의 일을 생각하니 마음이 아프다.
    = 어제 있었던 일을 생각하니 마음이 아프다.

〈176〉「의」가「~에 기록될 만한 축구 경기」로 풀이될 수 있는 예

(1) 역사의 현장
    = 역사에 기록될 만한 축구 경기 현장

〈177〉「의」를「~에 행복을 누릴 수 있는」으로 풀이할 수 있는 예

(1) 노후의 법칙
    = 노후에 행복을 누릴 수 있는 법칙

위의 예문은 「노후에 잘 살아 갈 수 있는 법칙」으로 풀어도 좋을 것이다.

〈178〉「의」를 「~에 있을」 또는 「~에서 가져 올」로 풀 수 있는 예
(1) 조지 W. 부시 대통령의 취임사 이후 백악관과 국무부 의회까지 한 목소리로 외치는 이 "민주주의 환상론"은 2기의 변화를 상징 하는 징표다.
  = 조지 W. 부시 대통령의 취임사 이후 백악관과 국무부 의회까 지 한 목소리로 외치는 이 "민주주의 환상론"은 2기에 있을 변 화를 상징하는 징표다.

위의 「2기의」를 「2기에서 초래될」로 풀어도 좋을 것이다.

〈179〉「의」를 「~에 갖추어져 있는」으로 풀수 있는 예
(1) 큰사전의 체계를 이렇게 빨리 세울 수도 없었을 것이오.
  = 큰사전에 갖추어져 있는 체계를 이렇게 빨리 세울 수도 없었 을 것이오.

〈180〉「의」를 「~에 이루어졌던」으로 풀 수있는 예
(1) 고대의 문화
  = 고대에 이루어졌던 문화

〈181〉「의」를 「~에 전해 오는」으로 풀 수 있는 예
(1) 세계의 옛 이야기
  = 세계에 전해오는 옛 이야기

위의 예를 「세계 속에 있어 온 옛 이야기」로 풀어도 좋을 듯하다.

〈182〉 「의」를 「~에 숨겨져 있는」으로 풀 수 있는 예

(1) 세계 명화의 수수께끼

= 세계 명화 속에 숨겨져 있는 수수께끼

〈183〉 「의」를 「~에 이루어야 할」로 풀 수 있는 예

(1) 유월의 승리

= 유월에 이루어야 할 승리

위의 예는 문맥에 따라서는 「유월에 이룬 승리」로도 풀 수 있을 것이다.

〈184〉 「의」를 「~에 이루어낸」으로 풀 수 있는 예

(1) 4할 안타 박찬호 5년만의 완봉승

= 4할 안타 박찬호 5년만에 이루어낸 완봉승

〈185〉 「의」를 「~에 가지고 있는」으로 풀 수 있는 예

(1) 마음의 벽을 헐어라

= 마음에 가지고 있는 벽을 헐어라

위의 「마음의 벽」은 「마음 속에 품고 있는 벽」으로 풀어도 가능할 것 같다.

⟨186⟩ 「의」를 「~에 이루어질」로 풀 수 있는 예

(1) 6월의 신화 이어 간다.

  = 6월에 이루어질 신화 이어간다.

⟨187⟩ 「의」를 「~에 주어진(지는)」으로 풀 수 있는 예

(1) 인생의 무게가 느껴질 때

  = 인생에 주어진(또는 주어지는) 무게가 느껴질 때

⟨188⟩ 「의」를 「~에게 닥친」으로 풀 수 있는 예

(1) 조선족의 위기

  = 조선족에게 닥친 위기

⟨189⟩ 「의」를 「~에 희귀하게 존재하는」으로 풀 수 있는 예

(1) 탄성조차 잦아드는 대륙의 무릉도원

  = 탄성조차 잦아드는 대륙에 희귀하게 존재하는 무릉도원

⟨190⟩ 「의」를 「~에서 일어나고 있는 중요한 일을 해결하고자 하는」으로 풀 수 있는 듯한 예

(1) 세상의 중심

  = 세상에서 일어나고 있는 중요한 일들을 해결하고자 하는(다루는) 중심이 되는 곳

위에서 「중심」을 「중심이 되는 곳」으로 풀어야 좋을 듯하여 그렇게 풀었다.

〈191〉「의」를「~에 따른」으로 풀 수 있는 예

(1) 믿음의 크기가 다릅니다.

　= 믿음에 따른 크기가 다릅니다.

위의 풀이를「믿음으로 얻어지는 크기」또는「믿음에 의한 크기」「믿음이 가지는 크기」등으로도 풀 수 있을 것이다.

〈192〉「의」를「~에 해당하는」으로 풀 수 있는 예

(1) 15세 미만의 청소년은 볼 수 없으니 부모님의 지도가 필요합니다.

　= <u>15세 미만에 해당하는</u> 청소년은 볼 수 없으므로 부모님의 지도가 필요합니다.

위의「15세 미만의」를 굳이 위의 밑줄 부분과 같이 풀이하지 말고 그저 그 다음에 오는「청소년」을 꾸미는 것으로 보면 어떨까 한다.

(2) 군복무하러 간 사랑하는 자식들이 당했다는 차원의 이야기가 아니다.

　= 군 복무하러간 사랑하는 자식들이 당했다는 차원에 해당하는 이야기가 아니다.

〈193〉「의」를「~에게 가장 소중한」으로 풀 수 있는 예

(1) 한국인의 중심 채널

　= 한국인에게 가장 소중한 중심 채널

〈194〉「의」를 「~에서 일어나는」으로 풀 수 있는 예

(1) 조선의 의병 활동을 더욱 적극화시켰다.

　= 조선에서 일어나는 의병 활동을 더욱 적극화시켰다.

〈195〉「의」를 「~로 들어가는」으로 풀어야 할 경우

(1) 동아시아 질서 개편과 북핵이라는 큰 태풍들이 한반도의 문턱에
　다가와 있다.

　= 동아시아 질서 개편과 북핵이라는 큰 태풍들이 한반도로 들어
　가는 문턱에 다가와 있다.

위의 「하나반도에 딸린」을 「한반도 소유인」으로 풀면 어떠할까?

〈196〉「의」를 「~에 있어서 세워야 할」로 풀 수 있는 예

(1) 아태시대의 국가 전략

　= 아태시대에 있어서 세워야 할 국가 전략

〈197〉「의」를 「~에서 보내는」으로 풀 수 있는 예

(1) 이제 청학동의 마지막 밤

　= 이제 청학동에서 보내는 마지막 밤

〈198〉「의」를 「~에 하고 있는」으로 풀 수 있는 예

(1) 실패를 벗어난 명주실이 헝클어질 대로 헝클어진 것 같은 오늘
　날의 우리 몰골에 가슴을 치면서…

　= 실패를 벗어난 명주실이 헝클어질 대로 헝클어진 것 같은 오
　늘날에 하고 있는 우리 몰골에 가슴을 치면서…

〈199〉「의」를 「~에 꾸며질」로 풀 수 있는 예

(1) 10년 뒤의 주방은?

= 10년 뒤에 꾸며질 주방은?

〈200〉「의」를 다음과 같이 다양하게 풀 수 있는 예

(1) 과학 분야의 성수대교 붕괴사건

= 과학 분야에 속하는 성수대교 붕괴사건

= 과학 분야에서 본 성수대교 붕괴사건

= 과학 분야에서 다루어야 하는 성수대교 붕괴사건

위와 같이 풀어 보아도 과연 알맞은 해석이 있는지 의문스럽다.

〈201〉「의」를 「~에 배우고 ~겪은」으로 풀 수 있는 예

(1) 유아기의 다양한 학습과 체험이 인생의 주춧돌이다.

= 유아기에 배운 다양한 학습과 겪은 체험이 인생의 주춧돌이다.

〈202〉「의」를 「~중에서 별과 같이 소중한」으로 풀 수 있지 않을까 생각되는 예

(1) 교과서 속 "문화재의 별" 한꺼번에 본다.

= 교과서 속 "문화재 중에서 별과 같이 소중한 것"을 한꺼번에 본다.

〈203〉「의」를 「~에게 다가올」로 풀 수 있는 예

(1) 알 수 없는 나의 미래 운명을 바꾸는 희망을 주는 책

= 알 수 없는 나에게 다가올 미래 운명을 바꾸는 희망을 주는 책

〈204〉「의」를「~에서 이름난」으로 풀 수 있는 예

(1) 음악계의 "작은 버핏"

= 음악계에서 이름난 "작은 버핏"

〈205〉「의」를「~에서 어떤 역을 하는」으로 풀 수 있는 예

(1) 영화 속의 인물

= 영화 속에서 어떤 역을 하는 인물

위의 예를 달리「영화 속에 나오는 인물」로도 풀 수 있을 것 같기도 하다.

〈206〉「의」를「~에(서)」로 바꾸고 그 뒤에 문맥에 맞는 말을 덧붙어야 월 전체의 뜻이 완전하게 이해되는 예

(1) 대규모 도심 재개발 프로젝트와 남산의 사계절

= 대규모 도심 재개발 프로젝트와 남산에서 전개되는 사계절

(2) 7월 26일 실시되는 4곳의 국회의원 재보선 후보자를 결정했다.

= 7월 26일 실시되는, 4곳에서 선출될 국회의원 재보선 후보자를 결정했다.

(3) 여름을 아름답게 했던 추억 속의 그녀 돌아왔네.

= 여름을 아름답게 했던 추억 속에 떠올랐던 그녀 돌아왔네.

(4) 동아시아 대중을 환상에 빠져들게 했던 '원서머 나이트'의 홍콩 여가수 '진추하' 그녀가 접었던 날개를 다시 펴들었다.

= 동아시아 대중을 환상에 빠져들게 했던 '원서머 나이트'에서 공연한 홍콩 여가수 '진추하' 그녀가 접었던 날개를 다시 펴들었다.

　(5) 한화 리조트의 여름은 수려하다.

　　 = 한화 리조트에서 보내는 여름은 수려하다.

　(6) 과거의 노동투사 미서 투자 홍보

　　 = 과거에 심하게 데모를 한 노동투사가 미서 홍보활동을 하다.

　(7) 왕궁에서 일어나는 거대한 게임의 거짓을 밝히는 것이 사명이라

　　 고 했다.

　　 = 왕궁에서 일어나는 거대한 게임에 내포되어 있는 거짓을 밝히

　　 는 것이 사명이라고 했다.

〈207〉「의」를 「~에 빠진」으로 풀 수 있는 예

　(1) 비운의 공주

　　 = 비운에 빠진 공주

〈208〉「의」를 「~에 ~하다」로 이해되는 예

　(1) 언론 자유는 국민의 편

　　 = 언론 자유는 국민에 편들다.

〈209〉「의」를 「~에 일어났던」으로 풀 수 있는 예

　(1) 1950년의 한국전쟁

　　 = 1950년에 일어났던 한국전쟁

2.「~에게(서)+서술어의 관형사형」으로 되어 여러 가 지 뜻을 나타내는 예

〈1〉「의」가「~에게 끼쳐진(주어진)」의 뜻으로 이해되는 예

(1) 1950년의 한국 전쟁은 온 겨레 전체의 비극이었다.

= 1950년의 한국 전쟁은 온 겨레 전체에 끼쳐졌던 비극이었다.

= 1950년의 한국 전쟁은 온 겨레 전체에 끼쳐진(주어진) 비극이었다.

〈2〉「의」가「~에게 앞으로 나아갈」의 뜻으로 이해되는 예

(1) 여자는 남자의 미래다.

= 여자는 남자에게 앞으로 나아갈 미래이다.

위의 밑줄 부분은 보기에 따라서는「여자는 남자가 나아갈 미래이다」로도 해석되는데, 그 본래의 뜻은「여자는 남자에게 있어서는 남자의 미래를 좌우하는 존재다」이다.

〈3〉「의」가「~에게서 사사 받은」의 뜻으로 이해되는 예

(1) 운보 김기창은 친일 화가의 선두 주자였던 김은호의 수제자로서 그한테서 섬세한 사실 묘사 위주의 일본 화식 채색 화법을 배움과 동시에 친일 행각까지도 착실히 물려 받은 인물이다.

= 운보 김기창은 친일 화가의 선두주자였던 김은호에게서 사사 받은 수제자로서 그한테서 섬세한 사실 묘사 위주의 일본 화식 채색 화법을 배움과 동시에 친일 행각까지도 착실히 물려 받은 인물이다.

〈4〉「의」가「~에게 부여한」의 뜻으로 이해되는 예

(1) 오원교의 직책 해임을 요구하였습니다.

　　= 오원교에게 부여한 직책 해임을 요구하였습니다.

위에서「의」의 뜻풀이를「오원교가 맡고 있는 직책 해임을」로 풀
수도 있을 것이다.

〈5〉「의」가「~에게 주어지는」의 뜻으로 이해되는 예

(1) 사실 6차 교육과정에서 7차 교육과정으로 넘어오면서 대부분의
　　교사들이 상당한 변화를 보였고 이 때문에 현장 교사들의 어려
　　움이 컸다.

　　= 사실 6차 교육과정에서 7차 교육과정으로 넘어오면서 대부분
　　의 교사들이 상당한 변화를 보였고 이 때문에 <u>현장 교사들에</u>
　　<u>게 주어진</u> 어려움이 컸다.

위의 밑줄 부분을「교사들이 겪는」으로 풀면 어떠할까?

(2) 이천만 민중의 충성을 합하야 차를 표명함이며 민족의 항구 영
　　원한 자유 발전을 위하야 차를 주장함이여...

　　= 이천만 민중의 충성을 합하야 차를 표명함이며 <u>민족에게 주어</u>
　　<u>진</u> 항구 영원한 자유 발전을 위하여 차를 주장함이며

위에서 밑줄 부분을「민족이 누려야 할」로 푸는 것이 더 나을 것
같다.

(3) 마치 나의 개인 경사라도 맞은 듯 즐겁기만 하다.

= 마치 <u>나에게 주어진 개인 경사라도 맞은 듯 즐겁기만 하다</u>.

위에서 밑줄 부분을 「나에게 닥친 경사라도 맞은 듯 즐겁기만 하다」로 푸는 것이 더 낫지 않을까?

(4) 그들의 천부 인권이 처참하게 유린되는 것도 미국 때문이다.

= 그들에게 주어진 천부인권이 처참하게 유린되는 것도 미국 때문이다.

〈6〉 「의」가 「~에게 좋은 일이 있을」의 뜻으로 이해되는 예

(1) 새해는 나의 해

= 새해는 <u>나에게 좋은 일이 있을</u> 해

위의 밑줄 부분을 「나에게 행운이 있을」로 풀어도 좋을 것이다.

〈7〉 「의」가 「~에게 필요한」의 뜻으로 이해되는 예

(1) 엄숙한 양심의 명령으로써 자가의 신문명을 개척함이요, 결코 구원과 일시적 감정으로써 타를 질추배척함이 아니로다.

= 엄숙한 양심의 명령으로써 자가에게 필요한 신문명을 개척함이요, 결코 구원과 일시적 감정으로써 타를 질추배척함이 아니로다.

위의 풀이를 「자기가 필요로 하는 신문명을 개척함이요,...」로 푸는 것이 더 나을 것 같다.

〈8〉 「의」가 「~에게 붙여진」의 뜻으로 이해되는 예

(1) 매우 잘 난 사람의 이름을 도자기 조각에 적어 내게 한다.

= 매우 잘 난 사람에게 붙여진 이름을 도자기 조각에 적어 내게 한다.

위의 「의」에 대한 풀이를 「사람이 가지고 있는」으로 풀면 어떠할까?

〈9〉 「의」가 「~에게 부여된」의 뜻으로 이해되는 예

(1) 우리의 할 일은 무엇인가?

= 우리에게 부여된, 할 일은 무엇인가?

여기서의 풀이는 「우리가 하여야 할 일은 무엇인가?」로 하는 것이 아주 자연스럽다.

〈10〉 「의」가 「국민에게 여러 가지 뉴스를 전해 주는 가장 훌륭한」의 뜻으로 이해되는 예

(1) 한국의 중심 채널

= 한국 국민에게 여러 가지 뉴스를 전해 주는 가장 훌륭한 중심 채널

3. 「의」의 풀이를 제대로 하기 위하여 새로운 낱말에 토씨 「에(서)」를 첨가하여 풀어야 할 예

〈1〉 「의」가 「속에 있는」의 뜻으로 이해되는 예

(1) 나아가 세계의 모든 민족이 평화스럽게 살아가는 데 큰 도움이 되어 줄 것입니다.

= 나아가 세계 속에 있는 모든 민족이 평화스럽게 살아가는 데 큰 도움이 되어 줄 것입니다.

(2) 이는 안으로 세계의 모든 약소민족의 말을 지켜 줄 것이며…

= 이는 안으로 세계 속에 있는 모든 약소민족의 말을 지켜 줄 것이며…

(3) 민족을 세계를 단위로 한 세계속의 한국을 세우는 것을 이상으로 하고 있음을 알 수 있다.

= 민족을 세계를 단위로 한 세계 속에 있는(존재하는) 한국을 세우는 것을 이상으로 하고 있음을 알 수 있다.

〈2〉 「의」가 「~시대에 지은」의 뜻으로 이해되는 예

(1) 우리는 아직 신라의 향가를 학술적으로 풀어 낼 힘이 없었지요.

= 우리는 아직 신라 시대에 지은 향가를 학술적으로 풀어 낼 힘이 없었지요.

(2) 양주동 박사는 고려의 가요를 아주 잘 주석하였다.

= 양주동 박사는 고려 시대에 지은 가요를 아주 잘 주석하였다.

〈3〉「의」가「~에 걸친(걸쳐 있었던)」등의 뜻으로 이해되는 예

(1) 그때부터 8·15까지 약 4년간 나의 고통과 괴롬과 공포는 이만저만한 것이 아니었다.

= 그때부터 8·15까지 약 4년간에 걸친(걸쳐 있었던) 나의 고통과 괴롬과 공포는 이만저만한 것이 아니었다.

(2) 우리 민족은 왜정으로부터 36년간의 고통을 견디고 이겨 내었다.

= 우리 민족은 왜정으로부터 36년간에 걸친(걸쳐 있었던) 고통을 견디고 이겨 내었다.

〈4〉「의」가「~에 등장하는」의 뜻으로 이해되는 예

(1) 한국의 모든 청년들은 마침에 한 사람 남김없이 모험소설의 주인공이 되고 말았다.

= 한국의 모든 청년들은 마침내 한 사람 남김없이 모험소설에 등장하는 주인공이 되고 말았다.

〈5〉「의」가「~안에 있는」의 뜻으로 이해되는 예

(1) 한국의 모든 청년들은 마침내 한 사람 남김없이 모험소설의 주이공이 되고 말았다.

= 한국 안에 있는 모든 청년들은 마침내 한 사람 남김없이 모험소설의 주공인공이 되고 말았다.

밑줄 부분의「한국 안에 있는」을「한국안에서 한국 국적을 둔 모든 청년들」로 풀이하면 좀 지나친 풀이가 될까?

〈6〉「의」가「~분야에 있어서」의 뜻으로 이해되는 예

(1) 영국과 미국이 정치, 군사, 경제의 대국이기 때문이라고 생각하
기 쉽다.

= 영국과 미국이 정치, 군사, 경제 분야에 있어서 대국이기 때문
이라고 생각하기 쉽다.

〈7〉「의」가「~밖에 안 되는」의 뜻으로 이해되는 예

(1) 이때까지 이름만 겨우 알 정도의 언어가 여럿 있었는데 여기의
도움을 받아 비로소 알게 된 것이 많다.

= 이때까지 이름만 겨우 알 정도밖에 안 되는 언어가 여럿 있었
는데 여기의 도움을 받아 비로소 알게 된 것이 많다.

〈8〉「의」가「~중에서 존재하는」의 뜻으로 이해되는 예

(1) 여러 언어에서의 한국어

= 여러 언어 중에서 존재하는 한국어

〈9〉「의」가「~중에 나타나는(있는)」의 뜻으로 이해되는 예

(1) 사가의 가라쓰의 가라도 가라다.

= 사가 중에 나타나는(있는) 가라쓰의 가라도 가라다.

〈10〉「의」가「~경내에 있는」의 뜻으로 이해되는 예

(1) 액말이로 신사의 신전 앞에 놓은 해태 같은 한 쌍의 짐승을 고마
이누라고 하듯이...라는 말들이 있다.

= 액막이로 신사 경내에 있는 신전 앞에 놓은 해태 같은 한 쌍의
짐승을 고마이누라고 하듯이... 라는 말이 있다.

〈11〉「의」가「~내에 있는」의 뜻으로 이해되는 예

(1) 정부의 행정 관료 중에도 고위직에 올라가면 이공계 출신은 20%
에 불과하다든가 기업 경영진 구성에도 그렇다는 승진상의 불리
함도 나왔다.

= 정부 내에 있는 행정 관료 중에도 고위직에 올라가면 이공계
출신은 20%에 불과하다든가 기업 경영진 구성비도 그렇다는
승진상의 불리함도 나왔다.

〈12〉「의」가「~분야에 있어서(권위자인)」의 뜻으로 이해되는 예

(1) 생명공학의 황우석 박사와 같은 스타가 이공계의 이곳저곳에서
뜨기 전까지는 그리 쉬운 문제가 아니리라.

= 생명공학 분야에 있어서 권위자인 황우석 박사와 같은 스타가 이
공계의 이곳저곳에서 뜨기 전까지는 그리 쉬운 문제가 아니리라.

(2) 생명공학의 황우석 박사와 같은 스타가 이공계의 이곳저곳에서
뜨기 전까지는 그리 쉬운 문제가 아니리라.

= 생명공학의 황우석 박사와 같은 스타가 이공계 분야에 있는(딸
린) 이곳저곳에서 뜨기 전까지는 그리 쉬운 문제가 아니리라.

〈13〉「의」가「~경쟁(경기)에 있어」의 뜻으로 이해되는 예

(1) 30연 전 레스링의 라이벌

= 30연 전 레슬링의 경쟁(경기)에 있어서 라이벌

**〈14〉「의」가「~와 사이에 맺어지는(이루어지는)」의 뜻으로 이해
되는 예**

(1) 그것은 오히려 한글 운동을 하는 사람들의 책무이며, 크게 보자

면 우리 나라의 언어 정책에서 모국어와 외국의 관계를 어떤 식
으로 설정해 갈 것인가에 대한 해답을 준비하는 과정이다.

= 그것은 오히려 한글 운동을 하는 사람 등의 책무이며, 크게 보
자면 우리 나라의 언어 정책에서 모국어와 외국 사이에 맺어
지는 (이루어지는) 관계를 어떤 식으로 설정해 갈 것인가에 대
한 해답을 준비하는 과정이다.

(2) 한글학회와 KLPT의 관계

= 한글학회와 KLPT와 사이에 맺어진 관계

〈15〉 「의」가 「~수준에 이른(이르는)」의 뜻으로 이해되는 예

(1) 한국이 낳은 최고의 바이올리니스트 정경화

= 한국이 낳은 최고 수전에 이른 바이올리니스트 정경화

(2) 미 최고의 MBA는 다트머스(경영대학원)

= 미 최고 수준에 이른 MBA 다트머스(경영 대학원)

(3) 최고의 성공 법칙은 '하고 싶다'는 열정

= 최고 수준에 이르는(이를 수 있는) 성공 법칙은 '하고 싶다'는
열정

〈16〉 「의」가 「~에 실시하여 왔던(실시하였던)」의 뜻으로 이해되 는 예

(1) 사실 1980년대 말까지의 영어 교육에 대한 고민과 열망이 양적
으로 커졌다고는 하나 1970년대의 그것과 본질적으로 차이가 나
지는 않았다고 보인다.

= 사실 1980년대 말까지에 실시하여 왔던 영어 교육에 대한 고
민과 열망이 양적으로 커졌다고는 하나 1970년대의 그것과 본

질적으로 차이가 나지는 않았다고 보인다.

〈17〉「의」가「~동안에 행한」의 뜻으로 이해되는 예

(1) GM 대우 3년의 질주

　= GM 대우 <u>3년 동안에 행한</u> 질주

위의 밑줄 부분을「3년 동안 달린」으로 푸는 것은 어떠할까?

〈18〉「의」가「~밖에 안 되는」의 뜻으로 이해되는 예

(1) 간발의 차이로 승리하다.

　= 간발밖에 안 되는 차이로 승리하다.

〈19〉「의」가「~동안에 쌓인」의 뜻으로 이해되는 예

(1) 하루의 피로

　= 하루 동안에 쌓인 피로

〈20〉「의」가「~사이에 있는」의 뜻으로 이해되는 예

(1) 삶과 죽음의 경계에 서서

　= 삶과 죽음 사이에 있는 경계에 서서

〈21〉「의」가「~ 때문에 오는」의 뜻으로 이해되는 예

(1) 사랑의 괴로움

　- 사랑 때문에 오는 괴로움

〈22〉「의」가「~다가 올」의 뜻으로 이해되는 예

(1) 또 한번의 기적을 기다리며...

= 또 한번 다가 올 기적을 기다리며...

〈23〉「의」가「~에 쓰이고 있는」의 뜻으로 이해되는 예

(1) 자연어 중심 시대의 인터넷 주소

= 자연어 중심 시대에 쓰이고 있는 인터넷 주소

〈24〉「의」가「~지위에 이르는」의 뜻으로 이해되는 예

(1) 세계 3위의 지적 모험심과 의지력을 세계 최고의 정신력과 커뮤
니케이션 역량을 갖추었다.

= 세계 3위 지위에 이르는 지적 모험심과 의지력을, 세계 최고
지위에 이르는 정신력과 커뮤니케이션 역량을 갖추었다.

보기에 따라서는 위의「의」를「세계 3위를 차지하는 지적 모험
과 의지력을, 세계 최고를 차지하는 정신력과 커뮤니케이션 역량을
갖추었다」로 풀어도 좋을 듯하고 또는「세계 3위인 지적 모험과 의
지력을, 세계 최고인 정신력과 커뮤니케이션 역량을 갖추었다」로
풀어도 좋을 듯하다.

〈25〉「의」가「~앞에 전개될」의 뜻으로 이해되는 예

(1) 우리의 앞날을 자리매김해 줄 오늘날의 일꾼들이 너나 할 것 없
이 모두 다 정치를 제대로 해주지 못했기 때문이다.

= 우리 앞에 전개될(또는 다가올) 앞날을 자리매김해 줄 오늘날

의 일꾼들이 너나 할 것 없이 모두다 정치를 제대로 해 주지
못했기 때문이다.

〈26〉 「의」가 「~분야에 있어서」의 뜻으로 이해되는 예

(1) 중국 현대문학의 거장 바진 타계

　＝ 중국 현대문학 분야에 있어서 거장 바진 타계

〈27〉 「의」가 「~하는 뜻에서 전하는」의 뜻으로 이해되는 예

(1) 사랑의 꽃다발

　＝ 사랑하는 뜻에서 전하는 꽃다발

〈28〉 「의」가 「~마음에 느끼고 있는 좋은」의 뜻으로 이해되는 예

(1) 나는 아무래도 오늘의 이 기분만은 형에게 전하고 싶어 이렇게
붓을 들었습니다.

　＝ 나는 아무래도 오늘 마음에 느끼고 있는 좋은 이 기분만은 형
에게 전하고 싶어 이렇게 붓을 들었습니다.

위에서 「마음에 느끼고 있는 좋은」을 「마음에 느끼고 있는 기쁜
(또는 즐거운)」으로 풀어도 좋을 듯하다. 또는 「오늘 기쁜(또는 즐
거운)이 기분만은」으로 간단히 풀어도 좋지 않을까 하는 생각도 해
본다.

V. 「의」가 「목적어+서술어의 관형사형」으로 되어 여러 가지 뜻을 나타내는 예들

1. 「의」가 「목적어+서술어의 관형사형」의 형식을 나타 내며 여러 가지 뜻으로 쓰이는 예

〈1〉 「의」가 「~을 하는」의 뜻으로 이해되는 예

(1) 하이드 위원장의 지적은 한국 정부의 대북 정책에 대한 미의회 의 회의와 불만의 내용이 무엇인지도 확실하게 해 준다.
   = 하이드 위원장의 지적은 한국 정부의 대북 정책에 대한 미의회의 회의와 불만을 나타내는 내용이 무엇인지도 확실하게 해 준다.

위의 「불만의 내용」은 달리 「불만스러운 내용」으로 풀어도 좋을 듯하다.

(2) 반미의 무풍지대 한반도에 반미의 열풍이 불게 하자던 시대의 하소는 이제 상식처럼 되었다.
   = 반미를 하던(는) 무풍지대 한반도에 반미를 하는 열풍이 불게 하자던 시대의 하소는 이제 상식처럼 되었다.

(3) 절대 반미의 이유가 무엇인가?

= 절대 반미를 하는 이유가 무엇인가?

(4) 반미의 이유

= 반미를 하는 이유

〈2〉 「의」가 「~를 할 수 있는」의 뜻으로 이해되는 예

(1) 또한 원칙에 집착하고 정당성에 확신을 가질 때 타협의 여지는 더 좋아진다는 점도 유념해야 한다.

= 또한 원칙에 집착하고 정당성에 확신을 가질 때는 타협을 할 수 있는 여지는 더 좁아진다는 점도 유념해야 한다.

〈3〉 「의」가 「~을 잘 하는」의 뜻으로 이해되는 예

(1) 작년 북한 인권법이 상하 양원에서 만장일치로 통과된 것은 입법의 달인들이 통과되기 가장 용이한 지름길을 택했기 때문이기도 했지만 압제와 기아에 시달리는 북한 주민들을 돕자는 좋은 뜻에 누구도 반대하기 어려웠기 때문이다.

= 작년 북한 인권법이 상하 양원에서 만장일치로 통과된 것은 입법을 잘 하는 달인들이 통과되기 가장 용이한 지름길을 택했기 때문이기도 했지만 압제와 기아에 시달리는 북한 주민들을 돕자는 좋은 뜻에 누구도 반대하기 어려웠기 때문이다.

〈4〉 「의」가 「~을 상징하는」의 뜻으로 이해되는 예

(1) 이것은 부시 행정부의 세계 인식기반이 9·11 테러로 무너진 뉴욕 세계무역센터의 폐허에서 벗어나 자유의 여신상으로 옮아갔음을 의미한다.

= 이것은 부시 행정부의 세계 기반이 9·11테러로 무너진 뉴욕 세계무역센터의 폐허에서 벗어나 자유를 상징하는 여신상으로 옮아갔음을 의미한다.

〈5〉「의」가 「~을 느끼게 하는, 또는 ~을 제공하는」의 뜻으로 이해되는 예

(1) 공포의 가, 나, 다, 라

= 공포를 느끼게 하는 (또는 공포를 제공하는) 가, 나, 다, 라

〈6〉「의」가 「~을 만든 또는 ~을 시킨」의 뜻으로 이해되는 예

(1) 분단의 책임자이자 분단 유지의 원흉으로 미국은 각인되어 갔다.

= 분단을 만든(분단을 시킨) 책임자이자 분단 유지의 원흉으로 미국은 각인되어 갔다.

위의 「분단의 책임자이자…」를 「분단을 하게 만든 책임자이자…」로 푸는 것이 더 낫지 않을까 생각되기도 한다.

〈7〉「의」가 「~을 지향하는」의 뜻으로 이해되는 예

(1) 중국이 일찍부터 인문화의 길을 갔다고 하나 이런 주술적 생각의 길이 끝내 가시지 않았다.

= 중국이 일찍부터 인문화를 지향하는 길을 갔다고 하나 이런 주술적 생각의 길이 끝내 가시지 않았다.

〈8〉「의」가「~시대를 연상케 하는」의 뜻으로 이해되는 예

(1) 신라의 달밤

    = 신라 시대를 연상케 하는 달밤

위의「신라의 달밤」은「신라가 다스렸던 지역에서 달이 뜬 밤」또는「신라시대에 비쳤던 달밤」으로 풀면 어떠할까?

〈9〉「의」가「~을 밝혀 주는」의 뜻으로 이해되는 예

(1) 선생님은 우리 교육의 등불

    = 선생님은 우리 교육을 밝혀 주는 등불

〈10〉「의」가「행복을 나누어 기쁨을 주는」의 뜻으로 이해되는 예

(1) 나눔의 집

    = 행복을 나누어 기쁨을 주는 집

위의 예는 말을 많이 더하여야 뜻이 통하는 경우의 보기이다.

〈11〉「의」가「~를 지배하는」의 뜻으로 이해되는 예

(1) 이중, 이중 대지의 왕자여로 마무리 지음으로 끝맺었다.

    = 이중, 이중 대지를 지배하는 왕자여로 마무리 지음으로 끝맺었다.

(2) 이 땅의 왕자여, 자비를 베푸소서.

    = 이 땅을 지배하는 왕자여, 자비를 베푸소서.

〈12〉「의」가 앞 토씨와 결합함으로써「~사이를 왔다 갔다 하는」 의 뜻으로 이해되는 예

(1) 이웃 마을과의 통행마저 마음대로 할 수 없는 무시무시한 세상 이 되고 말았다.

= 이웃 마을과 사이를 왔다 갔다 하는 통행마저 마음대로 할 수 없는 무시무시한 세상이 되고 말았다.

〈13〉「의」가「~을 기점으로 한」의 뜻으로 이해되는 예

(1) 중국 한족의 눈으로 스스로를 "기자의 옛땅" "명나라의 동쪽 울 타리"로 보고 있다.

= 중국 한족의 눈으로 스스로를 "기자의 옛땅" "명나라를 기점으 로 한 동쪽 울타리"로 보고 있다.

위의 「명나라를 기점으로 한」을 「명나라를 경계로 한」으로 풀면 어떠할까?

〈14〉「의」가「~을 보호하여 주는」의 뜻으로 이해되는 예

(1) 유학의 경전에 뿌리를 둔 화이관계의 정치적 측면인 조공-책봉 질서에 따르면 우리는 중국의 울타리가 된다.

= 유학의 경전에 뿌리를 둔 화이관계의 정치적 측면인 조공-책봉 질서에 따르면 우리는 중국을 보호하여 주는 울타리가 된다.

〈15〉「의」가「예술 행사를 하기 위하여 건축된」의 뜻으로 이해 되는 예

(1) 예술의 전당

= 예술 행사를 하기 위하여 건축된 전당

〈16〉「의」가 「~을 기준으로 하여 볼 때」의 뜻으로 이해되는 예

(1) '이시미'는 "이즈모"의 서쪽에 있었다고 한다.

= '이시미'는 '이즈모'를 기준으로 하여 볼 때 서쪽에 있었다고 한다.

(2) 수원은 서울의 남쪽에 위치하고 있다.

= 수원은 서울을 기준으로 하여 볼 때 남쪽에 위치하고 있다.

〈17〉「의」가 「~을 베풀어 주시는」의 뜻으로 이해되는 예

(1) 사랑의 주님

= 사랑을 베풀어 주시는 주님

〈18〉「의」가 「~을 흘리면서 하는」의 뜻으로 이해되는 예

(1) 아파트, 눈물의 세일

= 아파트, 눈물을 흘리면서 하는 세일

〈19〉「의」가 「~을 지배하고 있는」의 뜻으로 이해되는 예

(1) 세계의 질서

= 세계를 지배하고 있는 질서

(2) 사회의 질서

= 사회를 지배하고 있는 질서

위의 (1)(2)를 달리 「세계를 유지하고 있는 질서」, 「사회를 유지하고 있는 질서」 등으로 푸는 것도 가능하게 보여진다.

⟨20⟩ 「의」가 「~을 부를 정도로 달리는」의 뜻으로 이해되는 예

(1) 죽음의 질주

　= 죽음을 부를 정도로 달리는 질주

위의 뜻을 달리 「죽을려고 달리는 질주」로 풀어 보아도 좋을 것 같다.

⟨21⟩ 「의」가 「~을 하고 느끼는」의 뜻으로 이해되는 예

(1) 퀴즈의 즐거움

　= 퀴즈를 하고 느끼는 즐거움

⟨22⟩ 「의」가 「~을 베풀어 지어 준」의 뜻으로 이해되는 예

(1) 사랑의 집

　= 사랑을 베풀어 지어 준 집

위의 뜻을 「사랑으로 지어 준 집」으로 풀어도 좋을 것이다.

⟨23⟩ 「의」가 「~을 구경하는데 지불하여야 할」의 뜻으로 이해되는 예

(1) 북한이 개성의 관광 요금을 높게 정하려고 현대를 압박하는 것이라는 지적도 나온다.

= 북한이 개성을 구경하는데 지불하여야 할 관광 요금을 높게 정하려고 현대를 압박하는 것이라는 지적도 나온다.

〈24〉「의」가「~을 일으키는」의 뜻으로 이해되는 예

(1) 활성산소는 질병과 노화의 원인
　　= 활성산소는 질병과 노화를 일으키는 원인

〈25〉「의」가「~을 하고자 하는」의 뜻으로 이해되는 예

(1) 연정 제안은 정치 인생 마감하는 총정리의 노력
　　= 연정 제안은 정치 인생 마감하는 총정리를 하고자 하는 노력

〈26〉「의」가「~을 연구한」의 뜻으로 이해되는 예

(1) "예스페르센과 같은 언어학 영어학의 대가가 있어서 영어의 연구와 보급에 노력하고 그 뒤에 많은 학자들이 그 뜻을 이어 받아 줄기차게 노력한 결과이다"라고 말한 김차균 교수의 지적에 동의한다.
　　= "예스페르센과 같은 언어학 영어학을 연구한 대가가 있어서 영어의 연구와 보급에 노력하고 그 뒤에 많은 학자들이 그 뜻을 이어 받아 줄기차게 노력한 결과이다"라고 말한 김차균 교수의 지적에 동의한다.

위의 「언어학, 영어학의 대가」에서 「영어 학의」를 「영어학에 관한 또는 영어학에 대한」으로 풀어도 뜻이 잘 통할 것 같다.

〈27〉「의」가「~을 그린」의 뜻으로 풀어질 수 있는 예

(1) 혜촌은 대왕의 어진 외에도 수년에 걸쳐 대왕의 일대기를 그렸
   는데 그 작품들 모두 현재 그곳에 함께 전시돼 있다.

   = 혜촌은 대왕을 그린 어진 외에도 수년에 걸쳐 대왕의 일대기
   를 그렸는데 그 작품들 모두 현재 그 곳에 함께 전시돼 있다.

(2) 국민이 가장 존경하는 세종대왕의 국가 표준 영정이 친일 경력
   이 유별난 인사가 그린 것이라면 그것은 곧 문제이다.

   = 국민이 가장 존경하는 세종대왕을 그린 국가 표준 영정이 친
   일 경력이 유별난 인사가 그린 것이라면 그것은 곧 문제이다.

〈28〉「의」가「~을 잘 그리는」으로 풀 수 있는 예

(1) 서울에는 대신 풍속화의 대가인 혜촌 김학수 화백이 그린 새로
   운 세종대왕의 어진이 1982년 11월 26일에 전시실에 봉안됐다.

   = 서울에는 대신 풍속화를 잘 그리는 대가인 혜촌 김학수 화백
   이 그린 새로운 세종대왕의 어진이 1982년 11월 26일에 전시
   실에 봉안됐다.

〈29〉「의」가「~를 하는데 헌신한(애쓴)」으로 풀이할 수 있는 예

(1) 승리의 숨은 일꾼

   = 승리를 하는데 헌신한(애쓴) 숨은 일꾼

〈30〉「의」가「~을 본떠 만들고 ~ 그린」의 뜻으로 풀이될 수 있
   는 예

(1) 정부는 1973년 5월 8일 선현의 동상 건립 및 영정 제작에 관한
   심의 절차를 마련하여...

= 정부는 1973년 5월 8일 선현을 본떠 만든 동상 건립 및 선현
을 그린 영정 제작에 관한 심의 절차를 마련하여...

위에서 「선현의 동상 건립 및 영정 제작」에서 「선현의」는 「동상」
과 「영정」의 둘에 걸린다. 그러므로 위 글의 본뜻을 풀어 보면 「선
현을 본떠 만든 동상을 건립하고 선현을 그린 영정을 제작하는 일
에 관한 심의 절차를 마련하여...」로 될 것이다.

〈31〉 「의」가 「~을 하여야 할(하는)」의 뜻으로 풀어야 할 때

(1) 참여 정부와 집권 여당의 고난의 길은 이제부터일 것이다.

= 참여 정부와 집권 여당의 고난을 당하여야 할 길은 이제부터
일 것이다.

〈32〉 「의」가 「~을 나타내는」의 뜻으로 풀수 있는 예

(1) 오오노는 '일본말의 기원'에서 「모는 한국말의 '方'의 뜻인 'mo'이
다라 하고 四方八方의 요모야모인데 홀소리 고름으로 '모'가 '마'
로 되었다」고 풀었다.

= 오오노는 '일본어의 기원'에서 「모는 한국말의 '方'을 나타내는
뜻인 'mo'이다라 하고 四方八方의 요모야모인데 홀소리 고름
으로 '모'가 '마'로 되었다」고 풀었다.

〈33〉 「의」가 「~을 이루는」으로 풀 수 있는 예

(1) 액막이로 신사의 신전 앞에 놓은 해태 같은 한 쌍의 짐승을 고마
이누라고 하듯이 ...라는 말들이 있다.

= 액막이로 신사의 신전 앞에 놓은 해태 같은 한 쌍을 이루는 짐승을 고마이누라고 하듯이... 라는 말들이 있다.

〈34〉「의」가「~를 지금까지 그려왔던」의 뜻으로 이해되는 예

(1) 지구의 지도 바꾼다.

= 지구를 지금까지 그려 왔던 지도 바꾼다.

〈35〉「의」가「~을 가르치는」으로 풀이될 수 있는 예

(1) 백제의 왕인 박사는 일본의 초빙으로 천자문과 논어 10권을 가지고 건너가 오오진왕 아들의 스승이 되어 글을 가르쳤다.

= 백제의 왕인 박사는 일본의 초빙으로 천자문과 논어 10권을 가지고 건너가 오오진왕 아들을 가르치는 스승이 되어 글을 가르쳤다.

〈36〉「의」가「~을 포함한」의 뜻으로 이해되는 예

(1) 우리 문화는 인간의 근본인 정과 효로부터 시작하여 한글 등의 수 많은 월등함이 있다.

= 우리 문화는 인간의 근본인 정과 효로부터 시작하여 한글 등을 포함한 수많은 월등함이 있다.

〈37〉「의」가「~을 하는 데 걸리는」으로 풀어야 할 예

(1) 10회의 시간

= 10회를 하는 데 걸리는 시간

〈38〉「의」가「~을 보여 주는」으로 풀어야 할 예

(1) 시련과 전진의 전시장은 광복 60돌을 맞는 시민의 기쁨으로 들
    썩였다.

    = 시련과 전진을 보여 주는 전시장은 광복 60돌을 맞는 시민의
    기쁨으로 들썩였다.

〈39〉「의」가「~을 베풀었던」으로 풀어야 할 예

(1) 우리 민족은 강대국인 중국과 식민지 정책의 일본에 짓눌려 왔
    기에 우리 국민 자아가 약화되어 왔다.

    = 우리 민족은 강대국인 중국과 식민지 정책을 베풀었던 일본에
    짓눌려 왔기에 우리 국민 자아가 약화되어 왔다.

〈40〉「의」가「~을 맞이한」으로 풀어야 할 예

(1) 시련의 부자(父子)

    = 시련을 맞이한 부자(부자)

〈41〉「의」가「~을 섬기는(위한)」으로 이해되는 예

(1) 스승의 날

    = 스승을 섬기는(위한) 날

〈42〉「의」가「~을 배경으로 한」으로 풀어야 할 예

(1) 루니아 전기 "설인의 동굴" 오픈

    = 루니아 전기 "설인을 배경으로 한 동굴" 오픈

위의 "설인의 동굴"은 "설인이 있는"으로 해석하여도 좋지 않을까
한다.

〈43〉 「의」가 「~을 담고 있는 또는 ~을 표현하는」 등으로 이해
되는 예

(1) 슬픔의 노래

　= 슬픔을 담고 있는 노래

위의 「의」는 「슬픔을 표현하는」으로 풀어도 좋을 것이다.

〈44〉 「의」가 「~을 하고자 하는」으로 풀어야 할 예

(1) 여성들 창업의 꿈 이루어 드립니다.

　= 여성들 창업을 하고자 하는 꿈 이루어 드립니다.

〈45〉 「의」가 「~을 다스리는」으로 풀어야 할 예

(1) 대한민국의 대통령과 야당 대표의 대화일 수 있는가?

　= 대한민국을 다스리는 대통령과 야당 대표의 대화일 수 있는가?

〈46〉 「의」가 「~을 밝혀 주는」의 뜻으로 이해되는 예

(1) 세계의 아침

　= 세계를 밝혀 주는 아침

〈47〉 「의」가 「~을 목적으로 하는」으로 풀어야 할 예

(1) 대화와 상생의 정치는 '나의 이미지와 안 맞는 것 같다'고 했다.

= 대화와 상생을 목적으로 한 정치는 '나의 이미지와 안 맞는 것
    같다'고 했다.
  (2) 대화와 상생의 정치로 가자는 것이라고 했다.
    = 대화와 상생을 목적으로 하는 정치로 가자는 것이었다.

위의 (1), (2)에서 "대화와 상생의 정치"는 「의」가 「대화」와 「상생」
의 양자에 걸리므로 이것을 바르게 풀이하면 「대화를 하고 상생을
이루는 정치」 또는 「대화를 하고 상생하는 정치」 등으로 될 것이다.

〈48〉 「의」가 「~을 바라보는」 또는 「~을 비추어 보는」으로 풀어
     야 할 예
  (1) 남북의 창
    = 남북을 바라보는 창
    = 납북을 비추어 보는 창
    = 남북을 내다보는 창

(1)을 위와 같이 세 가지로 풀어 보았는데 「남북을 비추어 보는」
보다는 다른 두 가지로 푸는 것이 좋을 듯하다.

〈49〉 「의」가 「~을 연구한」의 뜻으로 이해되는 예
  (1) 국학의 선구자로 우뚝 섬
    = 국학을 연구한 선구자로 우뚝 섬

〈50〉 「의」가 「~을 내게 하는」으로 풀어야 할 예
  (1) "부산에서 서울까지" 그 힘의 원천은 마술

= "부산에서 서울까지" 그 힘을 내게 하는 원천은 마술

〈51〉「의」가 「~을 위령(慰靈)하는」의 뜻으로 이해되는 예

(1) 우리 말글을 지킨 분들의 추모제전

  = 우리 말글을 지킨 분들을 위령하는 추모 제전

위의 「우리 말글을 지킨 분들의 추모제전」을 달리 「우리 말글을 지킨 분들을 그리는 추모 제전」으로 푸는 것이 낫지 않을까?

〈52〉「의」의 「~를 대표할 수 있는」으로 풀 수 있는 예

(1) 한국 축구의 박주성 선수

  = 한국 축구를 대표할 수 있는 박주성 선수

〈53〉「의」를 「~을 하는데 있어서」로 풀 수 있는 예

(1) 그것이 성공의 충분 조건은 아니다.

  = 그것이 성공을 하는데 있어서 충분 조건은 아니다.

〈54〉「의」가 「~을 하는」으로 이해되는 예

(1) 당연히 한글운동의 관점에서는 첫째 이유를 중시하지만 대중들
  은 그 문제를 멀리까지 바라보지 않는다.

  = 당연히 한글운동을 하는 과정에서는 첫째 이유를 중시하지만
    대중들은 그 문제를 멀리까지 바라보지 않는다.

(2) 다른 한편에는 영어로 벌어먹는 사람들의 상술이나 정치 공작의
  혐의가 짙다.

= 다른 한편에는 영어로 벌어먹는 사람들의 상술이나 정치 공작을 하는 혐의가 짙다.

〈55〉「의」가「~을 살아가는 데 중요한」으로 풀어도 좋을 예

(1) 유아기의 다양한 학습과 체험이 인생의 주춧돌이다.

= 유아기의 다양한 학습과 경험이 인생을 살아가는 데 중요한 주춧돌이다.

〈56〉「의」가「~을 할 수 있는」으로 풀어도 좋을 듯한 예

(1) 시련과 위치는 도약의 기회다.

= 시련과 위치는 도약을 할 수 있는 기회다.

위의「도약의 기회다」를「도약을 하는 기회다」로 풀어도 좋지 않을까 한다.

〈57〉「의」가「~을 나열한(열거한)」으로 풀어도 좋을 예

(1) 오히려 횡령했다. 등의 가증스러운 거짓말을 하고 있습니다.

= 오히려 횡령했다. 등을 나열한(열거한) 가증스러운 거짓말을 하고 있습니다.

〈58〉「의」가「~을 이끌어 갈」로 풀어야 될 예

(1) 세계여성 법관회의 이사된 김영례 판사

= 세계여성 법관회를 이끌어 갈 이사된 김영례 판사

위의 월을 완전하게 하려면 「세계여성법관회를 이끌어 갈 이사가 된 김영례 판사」로 하여야 할 것이다.

〈59〉 「의」가 「~을 차지하는」으로 풀이될 수 있는 예

(1) 사실 6차 교육과정에서 7차 교육과정으로 넘어오면서 대부분의 교과들이 상당한 변화를 보였고, 이 때문에 현장 교사들의 어려움이 컸다.

= 사실 6차 교과과정에서 7차 교과과정으로 넘어오면서 대부분을 차지하는 교과들이 상당한 변화를 보였고, 이 때문에 현장 교사들의 어려움이 컸다.

〈60〉 「의」가 「~을 합친」으로 풀어야 할 예

(1) 지출은 월급과 수입의 두 배가 넘는다.

= 지출은 월급과 수입을 합친 두 배가 넘는다.

〈61〉 「의」가 「~을 누리는」으로 풀어야 할 예

(1) 행운의 주인공

= 행운을 누리는 주인공

〈62〉 「의」를 「~을 맞이한」으로 풀 수 있는 예

(1) 위기의 주부들

= 위기를 맞이한 주부들

위의 월을 「위기에 처한 주부들」로 풀면 어떠할까?

〈63〉「의」를 「~을 기념하기 위하여 제정한」으로 풀어도 좋을 듯한 예

(1) 세계 표준의 날

   = 세계 표준을 기념하기 위하여 제정한 날

〈64〉「의」를 「~을 잘 다루는」으로 풀 수 있는 예

(1) 연탄의 달인

   = 연탄을 잘 다루는 달인

〈65〉「의」가 「~을 이룩하는데 필요한」으로 풀 수 있는 예

(1) 성공적 FTA의 조건

   = 성공적 FTA를 이룩하는데 필요한 조건

〈66〉「의」가 「~을 위하여 외치는」으로 풀어야 할 예

(1) 승리의 함성

   = 승리를 위하여 외치는 함성

〈67〉「의」를 「~를 위하여 하는」으로 풀 수 있는 예

(1) '정의의 심판'인가 '정치적 쇼'인가?

   = '정의를 위하여 하는 재판'인가 '정치적 쇼'인가?

〈68〉「의」를 「~를 지키기 위하여 만들어야 했던」으로 풀어야 할 예

(1) '말 많던' 평화의 댐 18년만에 다 지었다.

   = '말 많던' 평화를 지키기 위하여 만들어야 했던 댐 18년만에 다

지었다.

〈69〉 「의」를 「~를 전하는」으로 풀 수 있는 예
(1) 대한 보청기 – 소리의 천사들
　　= 대한 보청기 – 소리를 전하는 천사들

〈70〉 「의」를 「~을 베푼」으로 풀 수 있는 예
(1) 사랑의 발자취
　　= 사랑을 베푼 발자취

위의 보기는 월의 앞뒤 문맥에 따라 「사랑을 베풀고자 하는 발자취」로도 풀 수 있지 않을까 한다.

〈71〉 「의」를 「~을 목적으로 마련된」으로 풀어야 할 때
(1) 만남의 광장
　　= 만남을 목적으로 마련된 광장

위의 완전한 뜻은 「사람들이 서로 만나기 위하여 마련된 광장」이다.

〈72〉 「의」가 다음과 같이 여러 가지로 풀이할 수 있는 예도 있다.
(1) 다섯 색깔의 장미
　　= 다섯 색깔을 나타내는 장미
　　= 다섯 색깔을 가진 장미
　　= 다섯 색깔로 피는 장미

〈73〉「의」가「~을 얻는데 필요한」으로 풀이될 수 있는 예

(1) 대중적인 인기의 비밀은?

= 대중적인 인기를 얻는데 필요한 비밀은?

〈74〉「의」를「~를 겪어야 하는(할)」으로 풀이할 수 있는 예

(1) 지금의 청소년들은 인터넷을 통해 사회화와 반사회화의 과정을
거치고 있다.

= 지금의 청소년들은 인터넷을 통해 사회화와 반사회화를 겪어
야 하는(할) 과정을 거치고 있다.

〈75〉「의」를「~을 살고 있는」으로 풀 수 있는 예

(1) 지금의 청소년들은 인터넷을 통해 사회화와 반사회화의 과정을
거치고 있다.

= 지금을 살고 있는 청소년들은 인터넷을 통해 사회화와 반사회
화의 과정을 거치고 있다.

위의 「지금의」를 「지금에 살고 있는」으로 풀어도 좋을 듯하다.

〈76〉「의」가「~날을 대표하는」으로 풀이 될 수 있는 예

(1) 오늘의 주인공 류시민

= 오늘날을 대표하는 주인공 류시민

〈77〉「의」가「~를 먹고 느끼는」으로 풀이 될 수 있는 예

(1) 김치의 감칠 맛

= 김치를 먹고 느끼는 감칠 맛

위의 풀이를 달리 「김치가 가지고 있는 감칠 맛」 또는 「김치가 나타내는 (주는) 감칠 맛」, 「김치에 대하여(보고) 상상하는 감칠맛」 등으로 할 수도 있지 않을까 생각된다.

⟨78⟩ 「의」를 「~을 주는(느끼는)」 또는 「~이 넘치는」 등으로 풀 수 있는 예

(1) 우리는 마련된 「김쁨을 주는(느끼는) 또는 기쁨이 넘치는」 동산 에 살 날이 올 것입니다.

= 우리는 마련된 기쁨을 주는 (느끼는)(또는 기쁨이 넘치는) 동 산에 살 날이 올 것입니다.

⟨79⟩ 「의」가 「~를 만드는」으로 풀이되는 예

(1) 카레의 원료

= 카레를 만드는 원료

⟨80⟩ 「의」를 「~를 전하는」으로 풀 수 있는 예

(1) 뉴스의 여자

= 뉴스를 전하는 여자

⟨81⟩ 「의」가 「~을 지키겠다는」으로 풀이될 수 있는 예

(1) 안전의 약속

= 안전을 지키겠다는 약속

⟨82⟩ 「의」를 「~를 이끌고 나가는」으로 풀이할 수 있는 예

(1) 이런 사람들이 지금 이 나라의 지도자이다.

= 이런 사람들이 지금 이 나라를 이끌고 나가는 지도자이다.

〈83〉「의」를「~를 느끼면서 받은」으로 풀 수 있는 예

(1) 공포의 영어 강의 캠퍼스

= 공포를 느끼면서 받은 영어 강의 캠퍼스

〈84〉「의」를「~를 간직한」으로 풀 수 있는 예

(1) 그 비밀의 세계

= 그 비밀을 간직한 세계 또는 비밀이 감추어져 있는 세계

〈85〉「의」를「~을 증명하는」으로 풀이할 수 있는 예

(1) 행운의 영수증

= 행운을 증명하는 영수증

위의 예는 보기에 따라「행운을 받은 증거로 주는 영수증」또는「행운을 주겠다는 뜻으로 주는 영수증」으로도 풀 수 있지 않을까?

〈86〉「의」를「~을 기점으로 한(하여)」으로 풀 수 있을 예

(1) 국경의 남쪽

= 국경을 기점으로 한(하여) 남쪽

위의 예를「국경에서 남쪽」또는「국경 보다 남쪽」등으로 풀면 어떨까?

〈87〉「의」를 다음과 같이 풀이될 수 있는 예

(1) 사랑의 질주

　　= 사랑을 태우고 달리는 질주

　　= 사랑을 향한 질주

　　= 사랑을 위한 질주

　　= 사랑을 하기 위한 질주

(2) 사랑의 가족

　　= 사랑을 주고 받는 가족

　　= 사랑을 나누는 가족

　　= 서로 사랑하는 가족

(3) 승리의 질주

　　= 승리를 하고 기뻐서 달리는 질주

　　= 승리를 하기 위한 질주

　　= 승리를 꿈꾸며 달리는 질주

〈88〉「의」를 「~을 잘 하는」으로 풀 수 있는 예

(1) 역전의 명수

　　= 역전을 잘 하는 명수

〈89〉「의」를 「~을 함으로써 얻어지는」으로 풀 수 있는 예

(1) 옛 추억의 기쁨

　　= 옛 추억을 함으로써 얻어지는 기쁨

위의 예를 「옛 추억이 주는 기쁨」으로 풀 수도 있을 것이다.

〈90〉「의」를 「~을 떠받칠」로 풀 수 있는 예

(1) 헤르메스의 기둥

= 헤르메스를 떠받칠(떠받치고 있는) 기둥

〈91〉「의」를 「~을 표현하는」으로 풀 수 있는 예

(1) 사랑의 춤을 추는 사람아.

= 사랑을 표현하는 춤을 추는 사람아

위의 예를 「사랑을 갈구하는 춤을 추는 사람아」 또는 「사랑에 찬 춤을 추는 사람아」 등으로도 풀 수 있지 않을까?

〈92〉「의」를 「~를 지켜 온」으로 풀 수 있는 예

(1) 학회의 큰 기둥 두 분이 계신데 한 분이 고루 이극로 박사이시고 다른 한 분이 외솔 최현배이시다.

= 학회를 지켜 오신 큰 기둥 두 분이 계신데, 한 분이 고루 이극로 박사이시고 다른 한 분이 외솔 최현배이시다.

〈93〉「의」를 「~을 일으키는」으로 풀 수 있는 예

(1) 한류의 근원

= 한류를 일으키는 근원

위의 풀이를 달리 「한류가 일어나는 근원」으로 풀 수 있을 것 같기도 하다.

⟨94⟩「의」를「~을 표방하는」으로 풀 수 있는 예

(1) 민주의 종

　= 민주를 표방하는 종

⟨95⟩「의」를「~을 다스렸던」으로 풀이할 수 있는 예

(1) 육백년 전에 조선의 임금께서 어지신 마음으로 백성을 다스렸다.

　= 육백년 전에 조선을 다스렸던 임금께서 어지신 마음으로 백성

　을 다스렸다.

위의 예를 위와 같이 풀고 보니 풀이말과 거듭되어 좀 이상하다.
따라서「조선의 임금」을「조선에 있었던 임금」또는「조선에서 세
웠던 임금」또는「조선이(에서) 모셨던 임금」으로 풀이하는 게 낫
지 않을까 하는 생각도 든다.

⟨96⟩「의」를「~을 운영(경영)하고 있는」으로 풀 수 있는 예

(1) 정상 기업의 사업주들이 내고 있다.

　= 정상 기업을 운영(경영)하고 있는 사업주들이 내고 있다.

⟨97⟩「의」를「~을 갹출하는」으로 풀 수 있는 예

(1) 이 기금의 재원은 망하지 않은 정상 기업의 사업주들이 내고 있

　다.

　= 이 기금을 갹출하는 재원은 망하지 않은 정상 기업의 사업주

　들이 내고 있다.

〈98〉「의」를「~을 지탱하고 있는」으로 풀 수 있는 예

(1) 중국의 패권으로 세계의 질서가 유지되는 것을 에둘러 말한 것이다.

＝ 중국의 패권으로 세계를 지탱하고 있는 질서가 유지되는 것을 에둘러 말한 것이다.

〈99〉「의」를「~를 공부하는 데 있어서」로 풀 수 있는 예

(1) 수학의 정석

＝ 수학을 공부하는 데 있어서 정석

〈100〉「의」를「~계를 대표하는」으로 풀 수 있는 예

(1) 세계 금융의 별이 되겠습니다.

＝ 세계 금융계를 대표하는 별이 되겠습니다.

위의 예를「세계 금융계를 빛내는 별이 되겠습니다」로 푸는 것이 더 나을 듯하다.

〈101〉「의」를「~을 필요로 하여 하는」으로 풀 수 있는 예

(1) 사랑의 리쿠에스트

＝ 사랑을 필요로 하여 하는 리쿠에스트(사랑으로 하는 리쿠에스트)

〈102〉「의」를「~을 떠올리게 하는」으로 풀 수 있는 예

(1) 컴퓨터 대신 아빠와 추억의 놀이를

＝ 컴퓨터 대신 아빠와 추억을 떠올리게 하는 놀이를

위의 「추억의 놀이를」을 쉽게 풀어서 「옛날을 떠올리게 하는 놀이를」 또는 「옛날을 추억하는 놀이를」로 하는 것은 어떠할까 한다.

〈103〉 「의」를 「~을 지향하는」으로 풀 수 있는 예

(1) 중국이 일찍부터 인문화의 길을 갔다고 하나…

　　= 중국이 일찍부터 인문화를 지향하는 길로 갔다고 하나…

〈104〉 「의」를 「~을 다하는」으로 풀 수 있는 예

(1) 최선의 노력을 다하고 있다.

　　= 최선을 다하는 노력을 다하고 있다.

〈105〉 「의」를 「~를 제패하는」으로 풀 수 있는 예

(1) TG 신기성 코트의 제왕

　　= TG 신기성이 코트를 제패하는 제왕

〈106〉 「의」를 「~를 그리는(던)」으로 풀 수 있는 예

(1) 흔히들 모노크롬 추상화의 시대는 갔다고 한다.

　　= 흔히들 모노크롬 추상화를 그리는(던)시대는 갔다고 한다.

〈107〉 「의」를 「~을 위하여 싸우는」으로 풀 수 있는 예

(1) 인류 통성과 시대 양심이 정의의 군과 인도의 간과로써 호원하는 금일 오인은 진하야 취하여 하강을 좌치 못하랴

　　= 인류 통성과 시대 양심이 정의를 위하여 싸우는 군과 인도의 간과로써 호원하는 금일 오인은 진하야 취하여 하강을 좌치 못하랴.

〈108〉 「의」를 「~을 가르치는」으로 풀 수 있는 예

(1) 유교 경전은 모두 중화사상의 교과서였으며...

   = 유교 경전은 모두 중화사상을 가르치는 교과서였으며...

〈109〉 「의」를 「~을 만들어 낸」으로 풀이할 수 있는 예

(1) 그간 우리는 세계 일류 상품의 성공 사례를 벤치마크하여 그들의 성장 모델과 전략을 모방해서 제품을 만들어 왔다.

   = 그간 우리는 세계 일류 상품을 만들어 낸 성공 사례를 벤치마크하여 그들의 성장 모델과 전략을 모방해서 제품을 만들어 왔다.

〈110〉 「의」를 「~를 반대하(자)는」으로 풀 수 있는 예

(1) 반미의 열풍이 붙게 하자던 시대의 호소는 이제 상식처럼 되었다.

   = 미국을 반대하자는 열풍이 붙게 하자던 시대의 호소는 이제 상식처럼 되었다.

위의 「반미의 열풍」을 위와 같이 풀지 않으면 「반미하자는 열풍」이 되어 말이 자연스럽지 못하다.

〈111〉 「의」를 「~을 한다는」으로 풀 수 있는 예

(1) 테러전의 명분으로는 국제사회의 여론을 이끌어 낼 수 없었던 한계에 대한 대안을 민주주의에서 찾았다.

   = 테러전을 한다는 명분으로는 국제사회의 여론을 이끌어 낼 수 없었던 한계에 대한 대안을 민주주의에서 찾았다.

〈112〉「의」를「~을 기뻐하여 부르는」으로 풀 수 있는 예

(1) 승리의 노래

= 승리를 기뻐하여 부르는 노래

위의 「승리의 노래」는 「승리를 기리며 부르는 노래」로도 풀이할
수 있을 것 같다.

〈113〉「의」를「~을 엮어 내는」으로 풀 수 있는 예

(1) 꿈은 내 작품의 원천

= 꿈은 내 작품을 엮어 내는 원천

〈114〉「의」를「~를 제거할」로 풀 수 있는 예

(1) 테러와 극단주의의 해독제로서 등장했다.

= 테러와 극단주의를 제거할 해독제로서 등장했다.

〈115〉「의」를「~을 찍은」으로 풀이할 수 있는 예

(1) 어머니의 사진

= 어머니를 찍은 사진

〈116〉「의」를「~을 다루는데 필요한」으로 풀이할 수 있는 예

(1) TV 카메라의 과학

= TV 카메라를 다루는데 필요한 과학

위의 「TV 카메라의 과학」을 달리 「TV 카메라가 가지고 있는 과
학」 또는 「TV 카메라에 관한 과학」 등으로 풀 수도 있을 듯하다.

(2) 축구의 과학

　= 축구를 하는데 필요한 과학

〈117〉「의」를「~을 둘러싼(~을 에워싼)」으로 풀 수 있는 예

(1) 감성의 울타리

　= 감성을 둘러싼(감성을 에워싼) 울타리

〈118〉「의」를「~을 공연하는」으로 풀 수 있는 예

(1) 가곡의 밤

　= 가곡을 공연하는 밤

〈119〉「의」를「~를 직접 체험할 수 있는」으로 풀 수 있는 예

(1) 역사의 현장에 왔습니다.

　= 역사를 직접 체험할 수 있는 현장에 왔습니다.

〈120〉「의」를「~을 하는데 (있어서)」로 풀 수 있는 예

(1) 재테크의 기본

　= 재테크를 하는데(있어서) 기본

〈121〉「의」를「~을 보호하여 주는 또는 ~을 지켜 주는」으로 풀 수 있는 예

(1) 정치적 측면인 조공-책봉 질서에 따르면 우리는 중국의 울타리가 된다.

　= 정치적 측면인 조공-책봉 질서에 따르면 우리는 중국을 보호하여 주는(중국을 지켜 주는) 울타리가 된다.

〈122〉「의」가「~을 이루는」으로 풀 수 있는 예

(1) 현대의 어느 사회에서나 차별적이고 우월한 능력과 기술은 매우
당연하게도 부와 명예와 지위를 키우는 성공의 발판이 된다.
= 현대의 어느 사회에서나 차별적이고 우월한 능력과 기술은 매
우 당연하게도 부와 명예와 지위를 키우는 성공을 이루는 발
판이 된다.

위의「성공의 발판」을「성공을 하는 발판」으로 풀어도 좋을 것이
다.

〈123〉「의」를「~을 뜻하는」으로 풀 수 있는 노래

(1) 사랑의 노래
= 사랑을 뜻하는 노래

위를 다시「사랑의 뜻을 담은 노래」로 푸는 것이 더 낫지 않을까
한다.

〈124〉「의」를「~을 하는데 있어서」로 풀 수 있는 예

(1) 글로벌 건설의 신화를 창조합니다.
= 글로벌 건설을 하는데 있어서 신화를 창조합니다.

위를「글로벌 건설이 이룩할 신화를 창조합니다」로 풀 수도 있을
것이다.

〈125〉「의」를 「~을 살아가는 데 중요한」으로 풀 수 있는 예

(1) 유아기의 다양한 학습과 체험이 인생의 주춧돌이다.

  = 유아기의 다양한 학습과 체험이 인생을 살아가는 데 중요한 주춧돌이다.

〈126〉「의」를 「~를 에워싸고 있는」으로 풀 수 있는 예

(1) 군이라는 존재를 통해 나라의 울타리는 지켜지고 있다.

  = 군이라는 존재를 통해 나라를 에워싸고 있는 울타리는 지켜지고 있다.

〈127〉「의」를 다음과 같이 풀어야 할 예

(1) 가정의 달

  = 가정을 소중하게 여기도록 관심을 가지게 하는 달

〈128〉「의」를 「~을 살아가는」으로 풀 수 있는 예

(1) 인생의 단계단계 라이프 정기보험 하나면 충분하다.

  = 인생을 살아가는 단계단계 라이프 정기보험 하나면 충분하다.

〈129〉「의」를 「~을 먹은 (또는 ~이나 된)」으로 풀 수 있는 예

(1) 이 날 들은 이 강연은 23살의 나에게는 너무나도 충격적이었다.

  = 이 날 들은 이 강연은 23 살을 먹은(23살이나 된) 나에게는 너무나도 충격적이었다.

VI. 「의」의 본뜻을 제대로 나타내기 위하여 월을 다시 고쳐 써서 나타내어야 하는 예들

1. 「명사+의」가 「명사+이」로 풀이되면서 「명사+의」 앞 이나 뒤를 다른 말로 바꾸거나 첨가하여 설명해야 하는 예

(1) 노와 사의 상생문화.

 = 노와 사가 화합하여 이루어 내는 상생문화

(2) 일본의 시장 점유율 ○○○%

 = 일본이 시장을 점유하는 비율 ○○○%

(3) 사랑의 국수를 무료로 드립니다.

 = 사랑이 듬뿍 담긴 국수를 무료로 드립니다.

(4) 왜경들의 나에 대한 의심의 눈은 날이 갈수록 더해 갔으며, 그 고독 그 괴로움 이는 나에게 너무나 큰 대가였다.

 = 왜경들이 나에 대하여 의심하는 눈은 날이 갈수록 더해 갔으며 그 고독 그 괴로움 이는 나에게 너무나 큰 대가였다.

(5) 민주주의 증진 법안이 민주, 공화 양당의 고른 지지 속에 상정된 것도 결국 명분의 선의 덕분이다.

= 민주주의 증진 법안이 민주, 공화 양당이 고르게 지지하는 속
에 상정된 것도 결국 명분에 의한 선의 덕분이다.

(6) 선거는 여당의 참패로 끝났다.

= 선거는 여당이 참패한 결과로 끝났다.

(7) 북한의 미사일 발사 계획에 대한 우려는 이미 널리 알려져 있다.

= 북한이 미사일 발사를 계획하고 있다는 사실에 대한 우려는
이미 널리 알려져 있다.

(8) 한국의 승리는 아시아의 승리

= 한국이 승리하는 것은 아시아가 승리하는 일이다.

(9) 참여정부와 집권여당의 고난의 길은 이제부터일 것이다.

= 참여정부와 집권여당이 고난을 겪어야 할 길은 이제부터일 것
이다.

(10) 현대 기아자동차의 즉각적인 조업 정상화를 간곡히 호소합니
다.

= 현대 기아자동차가 벌이고 (하고) 있는 파업을 중지하고 즉각
적인 조업 정상화를 간곡히 호소합니다.

(11) 공평한 정보 제공 이상의 특별 회견 기고 협찬 등 별도의 요청
에 응하지 않는다는 내용도 들어 있다.

= 공평한 정보를 제공하는 이상이 되는 특별 회견 기고를 협찬
하는 등 별도로 하는 요청에 응하지 않는다는 내용도 들어
있다.

(12) 일본의 옛 문화 형성한 시기인 285년, 백제의 왕인 박사는 일
본의 초청으로 천자문과 논어 십권을 가지고 건너가 오오진왕
아들의 스승이 되어 글을 가르쳤다.

= 일본이 옛 문화를 형성한 시기인 285년 백제에 살았던 왕인

박사는 일본이 한 초청으로 천자문과 논어 열권을 가지고 건너가 오오진왕 아들을 가르칠 스승이 되어 글을 가르쳤다.

(13) 대한민국의 승리를 위하여

= 대한민국이 승리할 것을 위하여

(14) 그것이 정치인의 인생을 다 건 과제가 되려면 이승만의 '독립과 건국' 박정희의 '경제 건설' 김대중의 '남북대화'와 같이 국민의 뇌리에 동의어로 각인되어야 한다.

= 그것이 정치인에게 주어진 인생을 다 건 과제가 되려면 이승만이 바라던 '독립과 건국' 박정희가 바라던 '경제 건설' 김대중이 바라는 '남북 대화'와 같이 국민이 가진 뇌리에 동의어로 각인되어야 한다.

(15) 어렵사리 성사한 대통령과 야당 대표의 대화라면 적어도 경제를 비롯한 국민의 삶의 문제 이념 갈등을 탈피하는 등의 국민 화합의 문제 등 남북 문제 세계 속의 한국을 모색하는 세계화 문제 그리고 한미 관계 등 안보 문제가 폭넓게 논의되어야 했을 것 아닌가.

= 어렵사리 성사한 대통령과 야당대표가 만나 나눈 대화라면 적어도 경제를 비롯하여 국민이 누려야할 삶에 관한 문제, 이념과 갈등을 탈피하는 등에 의한 국민이 화합하는 문제 등 남북 문제, 세계 속에 우뚝 설 한국을 모색하는 세계화 문제 그리고 한미 관계 등 안보 문제가 폭넓게 논의되어야 했을 것 아닌가?

(16) 기업 관계자들이 이공계 기피 현상을 개탄하거나 대학 교육의 부실함을 지적하고 있지만...

= 기업 관계자들이 이공계를 기피하는 현상을 개탄하거나 대학

에서 하는 교육이 부실하다는 것을 지적하고 있지만...

(17) 하나는 우리 말과 글을 얕잡아 보는 사대주의적 풍조의 확산과 그 결과로써 빚어지는 정치, 경제, 사회, 문화 전 분야에 걸친 대중적 지능의 저하다.

= 하나는 우리 말과 글을 얕잡아 보는 사대주의적 풍조가 확산 하는 일과 그 결과로써 빚어지는 정치, 경제, 문화 전 분야에 걸친 대중적 지능이 저하하는 일이다.

(18) 따라서 교육 전반이 사회가 발전하는 속도를 따라가지 못한다 는 일반적 문제보다 더 심각하게 영어 교육의 문제가 제기되는 것은 아닐까?

= 따라서 교육 전반이 사회가 발전하는 속도를 따라가지 못한 다는 일반적 문제보다 더 심각하게 영어 교육이 갖는 문제가 제기되는 것은 아닐까?

(19) 1980년대를 거치며 출산율의 저하와 자녀의 교육에 투자할 수 입이 늘어난 중산층의 대두가 하나의 요인이겠지만...

= 1980년대를 거치며 출산율이 저하하는 일과 자녀에 대한 교 육에 투자할 수입이 늘어난 중산층이 대두하는 것이 하나의 요인이겠지만...

(20) 알자르카위의 사망 원인은 미군 공습 충격에 따른 내상인 것으 로 밝혀졌다.

= 알자르카위가 사망한 원인은 미군 공습 충격에 따른 내상인 것으로 밝혀졌다.

(21) 청계천 거리, 예술의 물결

= 예술 행사가 물결이 넘실거리는 것처럼 많이 행하여지고 있 는 청계천 거리

(22) 북한의 개방 도와야 분단 극복 가능하다.

= 북한이 개방하는 것을 도와야 분단 극복이 가능하다.

(23) 동심 새록새록… 엄마 무릎 학교의 교과서

= 동심 새록새록… 엄마 무릎 학교가 즉 교과서이다.

(24) 한국의 햄릿 가다.

= 한국이 길러 낸 햄릿과 같은 사람이 가다.

(25) 디자인의 마술 생활의 대변신

= 디자인이 보이는 마술이 생활을 크게 변신시킨다.

(26) 차로써 세계 만방에 고하야 인류 평등의 대의를 극명하며 차로써 자손 만대에 고하야 민족 자존의 정권을 영구케 하노라.

= 차로써 세계 만방에 고하야 인류가 평등하다는 대의를 극명하며 치로써 자손 만대에 고하야 민족이 자존하다는(한) 정권을 영구케 하노라.

(27) 엄숙한 양심의 명령으로써 자기의 신운명을 개척함이요, 결코 구원과 일시적 감정으로써 타를 질추 배척함이 아니로다.

= 엄숙한 양심이 내리는 명령으로써 자기가 누려야 할 신운명을 개척하는 일이요, 결코 구원과 일시적인 감정으로써 타를 질추하고 배척하고자 하는 것이 아니로다.

(28) 이것은 부시 행정부의 세계 인식 기반이 9·11테러로 무너진 뉴욕 세계무역센터의 폐허에서 벗어나 자유의 여신상으로 옮아갔음을 의미한다.

= 이것은 부시 행정부가 생각하고 있었던 세계를 인식하는 기반이 9·11 테러로 무너진 뉴욕 세계무역센터가 입은 폐허에서 벗어나 자유를 상징하는 여신상으로 옮아간 것을 의미한다.

(29) 그간 우리는 세계 일류 상품의 성공 사례를 벤치마크하여 그들

의 성장 모델과 전략을 모방해서 제품을 만들어 왔다.

= 그간 우리는 세계 일류 상품에서 볼 수 있는 성공 사례를 벤
치마크하여 그들이 성장하여 온 모델과 전략을 모방해서 제
품을 만들어 왔다.

(30) 우리 제품의 비교우위가 점차 후발 사업자의 따라잡기 전략에
의해 약화되고 있는 것이다.

= 우리 제품이 차지하고 있는 비교우위가 점차 후발 사업자가
노리고 있는 따라잡고자 하는 전략에 의해 약화되고 있는 것
이다.

(31) 젊은 베르테르의 슬픔

= 젊은 베르테르가 연인과 이별하고서 느꼈던 슬픔

(32) 엄청난 규모의 파괴력을 행사할 수 있는 테러 집단의 등장을
막을 수 없다.

= 엄청난 규모에 이르는 파괴력을 행사할 수 있는 테러 집단이
등장하는 것을 막을 수 없다.

(33) 예를 들어 우리의 온라인 게임은 세계 시장에서 1위의 자리를
차지하고 있으나 끊임없는 후발자의 공략으로 차차 입지가 좁
아지고 있다.

= 예를 들어 우리가 하고 있는 온라인 게임은 세계 시장에서 1
위가 된 자리를 차지하고 있으나 끊임없는 후발자가 벌이는
공략으로 차차 입지가 좁아지고 있다.

(34) 우리의 앞날을 자리매김해 줄 오늘날의 일꾼들이 너나 할 것
없이 모두 다 정치를 제대로 해주지 못했기 때문이다.

= 우리가 살아 가야 할 앞날을 자리매김해 줄 오늘날에 나라를
이끌어 가고 있는 일꾼들이 너나 할 것 없이 모두 다 정치를

제대로 해 주지 못했기 때문이다.

(35) 단카이 세대의 퇴장과 함께 줄어 들기 시작하는 인구 감소의 문제만을 얘기하는 것은 아니다.

= 단카이 세대가 퇴장함과 함께 줄어 들기 시작하는 인구가 감소하는 문제만을 얘기하는 것은 아니다.

(36) 우리도 한 세대의 집단 퇴장에 대비해야 한다.

= 우리도 한 세대가 집단 퇴장하는 것에 대비해야 한다.

(37) 정수라의 섹시함에 감동하다.

= 정수라가 섹시한 것(사실)에 감동하다.

2. 「명사+의」가 「명사+을/를」, 「명사+하다」, 「명사+시키다」, 「명사+에(으로)+~한」으로 풀이되면서 「명사+의」의 앞이나 뒤를 풀어서 다른 말로 바꾸거나 첨가하여 설명해야 하는 예

(1) 체험 삶의 현장

= 삶을 체험하는 현장

(2) 산업을 주도하고 방향을 제시하는 모습에 대한 기대에도 불구하고 여전히 과거 모방의 대상이 되었던 회사들을 모방하여 선례가 없는 새로운 방향으로의 전진이나 앞서 방향을 제시하는 데 주저하고 있는 것이다.

= 산업을 주도하고 방향을 제시하는 모습에 대한 기대에도 불구하고 여전히 과거를 모방하는 대상이 되었던 회사들을 모방하여 선례가 없는 새로운 방향으로 나아가는 전진이나 앞서 방

향을 제시하는 데 주저하고 있는 것이다.

(3) ㄱ) 분단의 책임이자 분단 유지의 원흉으로 미국은 각인되어 있다.

= 분단을 만든 책임자이자 분단을 유지하게 한 원흉으로 미국은 각인되어 있다.

ㄴ) 당초에 민족적 요구로서 출치 아니한 양국 병합의 결과가 필경 고식적 위압과 차별적 불평과 통계 숫자상 허식의 하에서 이해상반한 양 민족간에 연구히 활동할 수 없는...

= 당초에 민족적 요구로서 출치 아니한 양국을 병합하는 결과가 필경 고식적 위압과 차별적 불평과 통계 숫자상 허식 하에서 이해상반한 양 민족 간에 연구히 화동 할 수 없는...

(4) 반미는 도편 추방의 심리를 설명할 수 없는 간곡한 것이다.

= 반미는 도편을 추방하는 심리를 설명할 수 없는 간곡한 것이다.

(5) 386은 독재의 조력자 분단의 유지자라는 평가를 안겼다.

= 386은 독재를 조력하는 자 분단을 유지케 하는 자라는 평가를 안겼다.

(6) ㄱ) 반미의 무풍지대 한반도에 반미의 열풍이 불게 하자던 시대의 호소는 이제 상식처럼 되었다.

= 미국을 반대하는 무풍지대 한반도에 미국을 반대하는 열풍이 불게 하자던 시대적 호소는 이제 상징처럼 되었다.

ㄴ) 절대 반미의 이유가 무엇인가?

= 절대적으로 미국을 반대하는 이유가 무엇인가?

(7) 한문 숭상의 수렁은 이다지도 깊은 것이었다.

= 한문을 숭상하는 수렁은 이다지도 깊은 것이었다.

(8) 한민족 인재 양성의 일환으로 실시하는 프로그램에 따라 첫 입학하는 이들은…

　= 한민족 인재를 양성하는 일환으로 실시하는 프로그램에 따라 첫 입학하는 이들은…

(9) 이것을 선진문화의 섭취로 보는 것은 잘못이다.

　= 이것을 선진문화를 섭취하는 것으로 보는 것은 잘못이다.

(10) 유가 사상은 중국의 통일과 통치 방법에 대한 제안이었다.

　= 유가 사상은 중국을 통일하고 통치하는 방법에 대한 제안이었다.

(11) 후학에게 국어학사 연구의 길을 열어 놓게 되었다.

　= 후학에게 국어학사를 연구하는 길을 열어 놓게 되었다.

(12) 통일 제국의 성립과 유지에 한자는 매우 중요한 구실을 하였다.

　= 통일 제국을 성립시키는 일과 유지시키는 일에 한자는 매우 중요한 구실을 하였다.

(13) 행정 편의주의가 준조세 증가의 주범이 된다.

　= 행정 편의주의가 준조세를 증가시키는 주범이 된다.

(14) 동쪽의 매전면, 서쪽의 청도읍, 북쪽의 경산시, 남천면의 3개 읍면이 만나는 꼭지점에 있다.

　= 동쪽에 위치한 매전면, 서쪽에 위치한 청도읍, 북쪽에 위치한 경산시 남천면을 합한 3개 읍면이 만나는 꼭지점에 있다.

(15) 현장 중심의 정책 대안을 개발

　= 현장을 중심으로 한 정책 대안을 개발하다.

(16) 우리 나라의 젊은이들은 시련과 암담과 공포 속에서 헤매면서 조국의 수호에 안간힘 썼다.

= 우리 나라에 살고 있는 젊은이들은 시련과 암담과 공포 속에
서 헤매면서 조국을 수호하는 일에 안간힘 썼다.

(17) 고려시대에 어두의 쓰임이 제한된 것은 저를 낮추었다기보다
중세 사회의 필연적 귀결이었다.

= 고려시대에 이두를 쓰는 것이 제한된 것은 저를 낮추었다기
보다 중세 사회가 겪어야 했던 필연적 귀결이었다.

(18) 글자가 현실의 본뜨기란 생각을 낳기 쉽다.

= 글자가 현실을 본뜨는 것이라는 생각을 낳기 쉽다.

(19) 한자 한문을 숭상하였기 때문에 글자 중심 그것도 한자 중심의
말글 의식이 자리잡은 것이다.

= 한자 한문을 숭상하였기 때문에 글자 중심 그것도 한자를 중
심으로 한 말글 의식이 자리잡은 것이다.

(20) 역사 대중화의 기수 이덕일이 직접 쓴 2005년 최고 화제작

= 역사를 대중화하는 기수 이덕일이 직접 쓴 2005년 최고 화
제작

(21) 아동문학 부활의 불씨 됐으면... "역사 대중화"

= 아동문학을 부활시키는 불씨 됐으면... "역사 대중화"

(22) 대포동 미사일의 시험 발사를 준비하고 있다.

= 대포동 미사일을 시험 발사할 것을 준비하고 있다.

(23) 대규모 병력과 무기 이동 등 큰 규모의 움직임의 관측이 가능
하다.

= 대규모 병력과 무기 이동 등 큰 규모로 된 움직임을 관측하
는 것이 가능하다.

(24) 결전의 땅 입성

= 결전을 벌일 땅에 입성하다.

(25) 그 한테서 세심한 사실 묘사 위주의 일본 화식 채색 화법을 배
움과 동시에 친일 행각까지도 확실히 물려 받은 인물이다.

= 그한테서 세심한 사실을 묘사하는 것을 위주로 한 일본 화식
채색 화법을 배움과 동시에 친일 행각까지도 확실히 물려 받
은 인물이다.

(26) 쓰시마온(對馬島音): 오음의 별칭

= 쓰시마온(對馬島音): 오음을 달리 이르는 것임

(27) 악의적이란 표현의 적용 범위도 모호하지만 특히 "왜곡보도"의
기준을 어떻게 잡고 있는지 알고 싶다.

= 악의적이란 표현을 적용하는 범위도 모호하지만 특히 "왜곡
보도"의 기준을 어떻게 잡고 있는지 알고 싶다.

(28) 여성들 창업의 꿈 이뤄 드립니다.

= 여성들 창업을 하고자 하는 꿈을 이뤄 드립니다.

(29) 원천 기술이나 핵심 기술의 개발에서 점차 경쟁력을 잃고 있다
는 현실적 문제와 그 원인으로 여러 가지가 지적되었다.

= 원천 기술이나 핵심 기술을 개발하는 것에서 점차 경쟁력을
잃고 있다는 현실적 문제와 그 원인으로 여러 가지가 지적되
었다.

(30) 다른 하나는 비효율적인 영어 교육과 사교육의 폐해 때문에 일
어나는 사회적 에너지의 낭비이다.

= 다른 하나는 비효율적인 영어 교육과 사교육으로 인한 폐해
때문에 일어나는 사회적인 에너지를 낭비하는 일이다.

(31) 이런 이유 때문에 나는 한글운동진영이 우리 말과 글의 보호에
머물러서는 안 된다고 생각한다.

= 이런 이유 때문에 나는 한글운동 진영이 우리 말과 글을 보

호하는 일에 머물러서는 안 된다고 생각한다.

(32) 태극기와 애국가는 대한민국의 상징이다.

　＝ 태극기와 애국가는 대한민국을 상징하는 것이다.

(33) 남북 평화의 집

　＝ 남북이 평화를 지키어(이루어) 나가기를 바라는 뜻에서 지은 집

(34) 이 문제가 영어 권력층의 매우 의도적인 방치와 부도덕함에서 비롯되는 정치적인 요소를 아주 강하게 담고 있다면, 이는 정치적 투쟁을 통한 영어 권력층의 타파없이는 제도 개선으로 이어지기 힘든 것 아닐까?

　＝ 이 문제가 영어 권력층을 매우 의도적으로 방치하는 것과 영어 권력층이 매우 부도덕한 것에서 비롯되는 정치적인 요소를 아주 강하게 담고 있다면, 이는 정치적 투쟁을 통한 영어 권력층을 타파하는 일 없이는 제도 개선으로 이어지기 힘든 것이 아닐까?

(35) 웃음과 눈물의 순간

　＝ 웃음을 웃고 눈물을 흘리는 순간

(36) 국방 개혁 성공의 전제조건

　＝ 국방 개혁을 성공시키는 전제조건

(37) 15일 실시된 헌법안 국민 투표가 이라크 점령의 '실질적인 종식의 시작'이라고 보도했다.

　＝ 15일 실시된 헌법안 국민 투표가 이라크를 점령한 이래 "실질적으로 종식시키는 시작"이라고 보도했다.

(38) 퇴직자 자원봉사, 새 인생의 시작

　＝ 퇴직자가 하는 자원봉사는 새 인생을 시작하는 일이다.

(39) 주요 대학이 경쟁력 강화, 학문의 세계화 등을 이유로 일반 과목에 대한 영어 강의의 비중을 크게 늘리면서 캠퍼스에 진풍경이 일어나고 있다.

= 주요 대학이 경쟁력을 강화하고 학문을 세계화한다는 등을 이유로 일반 과목에 대하여 영어로 강의하는 비중을 크게 늘리면서 캠퍼스에 진풍경이 일어나고 있다.

(40) 합주의 어려운 점은

= 합주를 하는데 있어서 어려운 점은

(41) 한글 사랑 반대의 까닭으로 나왔던 한자는 조어력이 좋다는 주장은 우리가 얼마나 한자 중심의 말글 의식에 젖어 있는가를 잘 말해 준다.

= 한글 사랑을 반대하는 까닭으로 나왔던 한자는 조어력이 좋다는 주장은 우리가 얼마나 한자를 중심으로 한 말글 의식에 젖어 있는가를 잘 말해 준다.

(42) 고려시대에 이두의 쓰임이 제한된 것은 저를 낮추었다기보다는 중세 사회의 필연적 귀결이 아니다.

= 고려시대에 이두를 쓰는 것이 제한된 것은 저를 낮추었다기보다는 중세 사회에 있어서 필연적인 귀결이 아니다.

(43) 납세자들의 저항에 직면하기 때문에 준조세가 세금의 '우회통로'로 많이 활용되고 싶다고 말하였다.

= 납세자들이 벌이는 저항에 직면하기 때문에 준조세가 세금을 '우회통로'로 활용되고 싶다고 많이 말하였다.

(44) 틀 너머의 음악 꿈 꿨지요.

= 틀 너머에 있는 음악을 (공부)하고 싶다는 꿈을 꿨지요.

(45) 금일 오인의 소임은 다만 자기의 건설이 유할 뿐이요, 결코 타

의 파괴에 존치 아니하도다.

= 금일 오인이 맡은(지닌) 소임은 다만 자기를 건설하는 일이
유할 뿐이요, 결코 타를 파괴하는 것에 존치 아니하도다.

(46) 이러한 제품의 완성도는 외국 제품과의 차별화가 아니라 외국
제품과의 유사성을 평가 척도로 삼아 온 게 사실이다.

= 이러한 제품을 완성하는 도는 외국 제품과의 차별화가 아니라
외국 제품과의 유사성을 평가 척도로 삼아 온 게 사실이다.

(47) 사업을 주도하고 방향을 제시하는 모습에 대한 기대에도 불구
하고 여전히 과거 모방의 대상이 되었던 회사들을 모방하여…

= 사업을 주도하고 방향을 제시하는 모습에 대한 기대에도 불
구하고 여전히 과거를 모방하는 대상이 되었던 회사들을 모
방하며…

(48) 자유와 민주주의 인권이라는 가치로 회귀하면서 전통적인 유럽
동맹국들에 화해의 미소를 보내는 부시 2기는 드디어 논리적인
평화를 찾은 것처럼 보인다.

= 자유와 민주주의 인권이라는 가치로 회귀하면서 전통적인 유
럽 동맹국들에 화해하는 듯한 미소를 보내는 부시 2기는 드
디어 논리적인 평화를 찾은 것처럼 보인다.

(49) 인권 개선을 요구하지 않으면 독재 정권 지원이고 그 개선을
요구하면 신성한 국가 주권의 침해이다.

= 인권 개선을 요구하지 않으면 독재 정권 지원이고 그 개선을
요구하면 신성한 국가 주권을 침해하는 것이다.

(50) 엄청난 규모의 파괴력을 행사할 수 있는 테러집단의 등장을 17
세기 이후 성립된 근대국가 중심의 국제 체제를 바꾸는 역사적
인 사건으로 규정할 정도다.

= 엄청난 규모에 이르는 파괴력을 행사할 수 있는 테러집단이 등장한 것을 17세기 이후 성립된 근대국가를 중심으로 한 국제 체제를 바꾸는 역사적인 사건으로 규정할 정도다.

3. 「명사+의」가 「명사+에(에서, 에게)」로 풀이되면서 「명사+의」의 앞이나 뒤를 다른 말로 바꾸거나 첨가하여야 그 뜻이 제대로 이해되는 예

(1) 신화의 영웅이 되었다.
= 신화 속에 등장하는 영웅과 같은 인물이 되었다.
(2) 10년의 기적은 어떻게 가능했을까?
= 10년 동안에 쌓아 올린 기적은 어떻게 가능했을까?

위의 밑줄 부분에서 「10년 동안에 쌓아 올린」을 「10년 동안에 이루어 낸」으로 풀어도 좋을 것이다.

(3) 월드컵의 사나이
= 월드컵 경기에서 멋지게 해 낸 사나이
(4) "구마모도"나 "구마가와"들의 "구마"는 동물의 곰의 뜻이 아니고 음으로 통하고 있다.
= "구마모도"나 "구마가와"들에서 쓰이고 있는 "구마"는 동물인 곰을 나타내는 뜻이 아니고 음으로 통하고 있다.
(5) 부두의 새악씨 아롱 젖은 옷자락.
= 부두에서 우는 새악씨가 흘린 눈물로 옷자락이 아롱 젖다.

(6) 다니가와는 화훈간(1777)에서 "데라"가 지금의 조선말의 "데루"라
면 원래 한어이다라고 했으며...

   = 다니가와는 화훈간(1777)에서 "테라"가 지금에 조선말에서 쓰
   이는 "데루"라면 원래 한어이다라고 했으며...

(7) 백제의 왕인 박사는 일본의 초빙으로 천자문과 논어 10권을 가
지고 건너가 오오진왕 아들의 스승이 되어 글을 가르쳤다.

   = 백제에 살았던 왕인 박사는 일본에서 한 초빙으로 천자문과
   논어 10권을 가지고 건너가 오오진왕 아들의 스승이 되어 글
   을 가르쳤다.

(8) 즉 약하고 강하고 열등하고 우월함에 따라 자신의 이름까지 타
인의 뜻대로 쓰게 되었다.

   = 즉 약하고 강하고 월등하고 우월함에 따라 자신에게 붙여졌던
   이름까지 타인이 강요하는 뜻대로 쓰게 되었다.

(9) 세상의 중심에 서서

   = 세상에서 중심이 되는 점에 서서

(10) "한글갈"도 문자학의 고전이 될 것이며 과도기에 있어 국어학사
사전의 구실을 할 것입니다.

   = "한글갈"도 문자학에 관한 고전이 될 것이며 과도기에 있어
   국어학사 분야에서 사전과 같은 구실을 할 것입니다.

(11) 병자 수호조약 이래 시시종종의 금석 맹약을 실하얏다 하야...

   = 병자 수호조약 이래 시시종종에 이르는 금석과 같은 맹약을
   식하얏다 하야...

(12) 춤추는 카스바의 여인

   = 카스바에서 춤을 추는 여인

(13) 한국의 중심 채널

= 한국에서 중심이 되는 채널

(14) 우리의 앞날을 자리매김해 줄 오늘날의 일꾼들이 너나 할 것
없이 모두 다 정치를 제대로 해주지 못했기 때문이다.

= 우리에게 다가올 앞날을 자리매김해 줄 오늘날에 활동하고
있는 일꾼들이 너나 할 것 없이 모두 다 정치를 제대로 해 주
지 못했기 때문이다.

(15) 단카이들의 50조엔의 퇴직금을 싸들고 나 몰라라 대량 퇴장한
다는 것이 이른바 2007년의 핵심이다.

= 단카이들에게 주어지는 50조엔에 달하는 퇴직금을 싸 들고
나 몰라라 대량 퇴장한다는 것이 이른바 2007년에 있을 일에
관한(대한) 핵심이다.

VII. 「명사+의」가 「명사+과」로 풀이되면서 두 명사 사이의 관계나 견줌을 나타내는 예들

(1) 중국과의 관계 역시 정치적 갈등을 예고하고 있다.

= 중국과 사이에 존재하는 관계 역시 정치적 갈등을 예고하고 있다.

(2) 한국 기업 유치 및 한국인과의 연락을 편히 하기 위해...

= 한국 기업 유치 및 한국인과 해야 하는 연락을 편히 하기 위해...

(3) 부산 중학 시대 벽사 형과의 교분에서 얻은 결과였고... 허웅 선배님께 승낙 받은 것도 생각하면 벽사 형과의 사귐에서 얻은 결과에서 온 것이 분명하다.

= 부산 중학 시대 벽사 형과 사이에 있었던 교분에서 얻은 결과였고... 허웅 선배님께 승낙 받은 것도 생각하면 벽사 형과 사이에 있었던 사귐에서 얻은 결과에서 온 것이 분명하다.

(4) 이웃 마을과의 통행마저 마음대로 할 수 없는 무시무시한 세상이 되고 말았다.

= 이웃 마을과 사이를 오가는 통행마저 마음대로 할 수 없는 무시무시한 세상이 되고 말았다.

(5) (i)일장춘몽의 인생

= 일장춘몽과 같은 인생

위의 (5)에 제시한 예는 일종의 비유에 해당한다. (이하 같음)

(ii) 현하(懸河)의 웅변

= 현하가 하는 웅변과 같이 잘 하는 웅변

(iii) 서시(西施)의 미(美)

= 서시와 같이 아름다운(뛰어난) 미(美)

(6) 지구상에 존재하는 다양한 언어와의 대조를 바탕으로 한국어의
특질을 논하고 있는 것이다.

= 지구상에 존재하는 다양한 언어와 맞대어 보는 대조를 바탕으
로 한국어의 특질을 논하고 있는 것이다.

(7) 적어도 특질이라 하면 다른 많은 언어와의 철저한 대조와 분석
을 통해 치밀성과 독자성이 검증되었을 때 가능한 것이다.

= 적어도 특질이라 하면 다른 많은 언어와 맞대어 보는 (견주어
보는) 철저한 대조와 분석을 통해 치밀성과 독자성이 검증되
었을 때 가능한 것이다.

(8) 이러한 것들은 쓰시마와 한국과의 관계를 잘 나타내고 있다.

= 이러한 것들은 쓰시마와 한국과 사이에 이루어지고 있는 관계
를 잘 나타내고 있다.

(9) 다하지 못한 그대와의 사랑을 어찌 잊으리, 아리나레 가람의 돌
은 다할지언정.

= 다하지 못한 그대와 맺았던(나누었던)사랑을 어찌 잊으리. 아
리나레 가람의 돌은 다할지언정.

(10) 1003년 4월부터 이듬해 정월까지 아쓰마치 친당과의 뜨거운
　　　사이를 읊어 남긴 작품에…라는 와가가 있다.
　　= 1003년 4월부터 이듬해 정월까지 아쓰마치 친당과 사귀었던
　　　(사랑을 나누었던) 뜨거운 사이를 읊어 남긴 작품에…라는
　　　와가가 있다.
(11) 17대는 사랑의 국회
　　= 17대는 A와 사랑을 하는 국회

　기사 내용을 보면 A가 B와 사랑하여 결혼한 일을 보도하면서 내
세운 표제이므로 위와 같이 풀이하여 보았다.

(12) 서양과 동양과의 관계보다는 동양에서도 우리말이 일본말에 끼
　　　친 영향 가운데 그 일부를 들어 보기로 한다.
　　= 서양과 동양과 사이에 존재하는 관계보다는 동양에서도 우리
　　　말이 일본말에 끼친 영향 가운데 그 일부를 들어 보기로 한다.
(13) 일본말의 데라와 우리말의 절과의 관계를 살펴보면 다음과 같
　　　다.
　　= 일본말에 있는 데라와 우리말에 있는 절과 사이에 존재하고
　　　있는 관계를 살펴보면 다음과 같다.
(14) 바람의 파이터도 이창호.
　　= 바람과 같이 휘몰아치는 파이터도 이창호

　위의 월은 보기에 따라서는 「바람을 일으키는 파이터도 이창호」
로 풀이할 수 있을 것 같다.

(15) '동포와의 간담회에서 사고 안 치겠다'는 등의 발언은 정말 듣
기 거북해서 어디 숨고 싶을 지경이다.

= '동포와 가졌던 간담회에서 사고 안 치겠다'는 등의 발언은 정
말 정말 듣기 거북해서 어디 숨고 싶을 지경이다.

(16) 이씨의 약혼녀인 A씨

= 이씨와 혼인할 약혼녀인 A씨

(17) 무지개의 집

= 무지개와 같이 아름다운 집

(18) IT로 이루는 꿈의 세상 당신이 주인공

= IT로 이루는 꿈과 같은 세상 당신이 주인공

(19) 전쟁의 화염... 단호한 징벌

= 전쟁과 같이 거세게 뿜어내는 화염... 단호한 징벌

(20) 이러한 제품의 완성도는 외국 제품과의 차별화가 아니라 외국
제품과의 유사성을 평가 척도로 삼아 온게 사실이다.

= 이러한 제품의 완성도는 외국 제품과 견주어 나타나는 차별
화가 아니라 외국 제품과 견주어 나타나는 유사성을 평가 척
도로 삼아 온게 사실이다.

(21) 미망의 사도들인 NL 운동권과의 인연을 과감히 끊고 운동권
이전의 그 순탄한 모습으로 다시 서기를 기대한다.

= 미망의 사도들인 NL 운동권과 맺고 있는 인연을 과감히 끊
고 운동권 이전의 그 순탄한 모습으로 다시 서기를 기대한다.

(22) 테러와의 전쟁을 위한 미군의 구조를 바꿨고 정보기관을 개혁
했고 동명국의 명단도 다시 짰다.

= 테러와 벌인 전쟁을 위한 미군의 구조를 바꿨고 정보기관을
개혁했고 동맹국의 명단도 다시 짰다.

(23) 2~4 위권 후보들과의 표 차이가 크지 않을 것으로 알려져 본
선에서 당 의장을 놓고 치열한 경쟁이 펼쳐질 전망이다.
= 2~4 위권 후보들과 사이에 있을 표 차이가 크지 않을 것으로
알려져 본선에서 당 의장을 놓고 치열한 경쟁이 펼쳐질 전망
이다.

(24) 황금의 주말
= 황금과 같은 주말

(25) 쳐다보니 당신의 얼굴은 어느 그림에서 본 성자의 모습이 분명
하다.
= 쳐다보니 당신의 얼굴은 어느 그림에서 본 성자와 같은 모습
이 분명하다.

VIII. 「명사씨+의」가 다음 각 항과 같이 다양한 뜻으로 이해되는 예들

1. 「의」가 「스러운(겨운)」으로 이해되는 예

(1) 하이트 위원장의 지적은 한국 정부의 대북 정책에 대한 미의회의 회의와 불만의 내용이 무엇인지도 확실하게 해 준다.

= 하이트 위원장이 한 지적은 한국 정부가 취하고 있는 대북 정책에 대한 미의회가 품고 있는 회의와 불만스러운 내용이 무엇인지도 확실하게 해 준다.

여기에서 주된 풀이는 「불만스러운」에 있음을 유의하여야 한다.

(2) '눈물의 보리' 8조 매출로 피다

= '눈물 겨운 보리' 8조 매출로 피다.

여기서의 「눈물의 보리」는 「눈물 나게 하는 보리」로 풀어도 좋을 것이다.

(3) 세존께서는 신비의 웃음을 머금고 숨을 쉬고 계셨습니다.

　= 세존께서는 신비스러운 웃음을 머금고 숨을 쉬고 계셨습니다.

(4) 양궁 최원종, 신기의 만점 신기록으로 금메달

　= 양궁 최종원, 신기로운 만점 신기록으로 금메달

(5) 이별의 부산 정거장

　= <u>눈물겹게 이별하는</u> 부산 정거장

위의 예는 담담한 마음으로 이별하는 것이 아니고 이별하기 싫은 이별이므로 위의 밑줄 그은 것과 같이 풀이하였다.

(6) 신비의 숲

　= 신비스러운 숲

「신비의 술」을 위와 같이 푸는 것보다 「신비감을 주는 술」로 푸는 것이 낫지 않을까 한다.

2. 「의」가 다음과 같이 월 전체를 바꾸어야 완전한 뜻이 통하는 예

(1) 공격형 박지성, 수비형 포겔 "중원의 대충돌"

　= 공격형인 박지성이 수비형인 포겔과 "중원에서 서로 이기겠다는 신념으로 크게 충돌할 것이다."

(2) "마라도나의 아이들" 삼각 편대

　= "유명한 축구 선수 마라도나 후배들이" 삼각 편대를 이루어 맹공격을 벌이다.

(3) 전문가 6인 "행복의 조건 발견했다."

   = 전문가 6인이 "행복을 누리는데 필요한 조건을 발견했다."

위의 풀이를 「행복이 갖추어야 할 조건을 발견했다」로 하는 것도 좋을 것이다.

(4) 샷으로 삶의 리듬과 템포 살렸죠.

   = 샷으로 삶을 해 가는데 필요한 리듬과 템포를 살렸죠.

3. 「의」가 「~번째로 ~하는(한)」으로 풀 수 있는 예

(1) 제2의 도약을 꿈꾸다.

   = 제2 번째로 하는 도약을 꿈꾸다.

위의 「제2의」를 「두 번째로 하는」으로 푸는 것이 더 자연스럽다.

(2) 제2의 건국

   = 제2번째로 하는 건국

(3) 제3의 한강교

   = 제3 번째로 세운 한강교

4. 「의」가 「~이나 되는」으로 풀이될 수 있는 예

(1) 해마다 다섯 번의 제사상을 직접 차리는 주부 이다도시의 한국 살이 14년

= 해마다 다섯 번이나 되는 제사상을 직접 차리는 주부 이다도
시의 한국 살이 14년
(2) 본선인 전당대회는 1만3천 명의 대의원들이 '1인 2연기명'으로
당지도부를 선출한다.
= 본선인 전당대회는 1만3천 명이나 되는 대의원들이 '1인 2연기
명'으로 당 지도부를 선출한다.

위의 「1만3천 명에 이르는 대의원들이」로 풀어도 좋을 것이다.
다음에 나오는 예들의 경우도 있다.

(3) 러시아 사하린에 살고 있는 4만 명의 고려인을 위한 조선말 텔
레비전 방송 채널이 2004년 8월 16일에 개국되었다.
= 러시아 사하린에 살고 있는 4만 명이나 되는(4만 명에 이르는)
고려인을 위한 조선말 텔레비전 방송채널이 2004년 8월 16일
에 개국되었다.
(4) 27명의 직원이 유죄로 끌려간 경성 중앙방송국 단파 방송 사건
의 아픔이 아직도 가시지 않은 1943년 6월…
= 27명이나 되는(27명에 이르는) 직원이 유죄로 끌려간 경성 중
앙방송국 단파방송 사건의 아픔이 아직도 가시지 않은 1943년
6월…
(5) 23명의 태극전사
= 23명이나 되는(23명에 이르는) 태극전사
(6) 400여 종의 국화
= 400여 종이나 되는 (종에 이르는) 국화.
(7) 1200 칼로리의 식사

= 1200 칼로리나 되는(칼로리에 이르는) 식사

(8) 천의 얼굴 속성 과외의 힘

= 천이나 되는(천에 이르는) 얼굴, 속성과외가 발휘하는 힘

(9) 토요일을 빼고는 대개 하루 5시간 이상의 강행군이었는데 그 이 듬해 3월 경으로 기억된다.

= 토요일을 빼고는 대개 하루 5시간 이상이나 되는(이상에 이르 는) 강행군이었는데, 그 이듬해 3월 경으로 기억된다.

(10) 백오십여 벌의 의상

= 백오십여 벌이나 되는(벌에 이르는) 의상

5. 「의」가 「정도」 또는 「수준」을 나타내는 것으로 풀이 할 수 있는 예

(1) 최고의 브랜드를 꿈꾼다.

(2) 최고의 요리의 맛

(3) 美 최고의 MBA는 다트머스(경영대학원)

(4) 최고의 성공법칙은 "하고 싶다"는 열정

(5) 최고의 "디바" 그 유혹의 목소리

(6) 'FRB 의장 버랭키'는 최선의 선택

(7) 최선의 노력을 다하겠습니다.

(8) 독일까지 가셔서 세계 첨단의 학문을 하시어 경제학 박사의 학 위를 받고 돌아오신 고루 박사.

위의 밑줄 친 각 「의」는 그 앞의 이름씨와 합하여 「최고인」 또는 「최고 수준인」, 「최선인」, 「첨단인」 등으로 풀이될 수 있을 것이다.

(9) 어떤 면에서 세계 최고의 정도가 되는지에 대해서는 일언반구도
   없다.

여기의 「최고의」는 「최고 경지에 이른」 또는 「최고 수준에 이른」
으로 풀이하면 될 것이다.

6. 「의」를 「~동안 ~하는」으로 풀 수 있는 예

(1) 감시의 방심이나 실수조차 치명적인 결과로 돌아오는 첨예한 경
   쟁환경에서 이렇게 주저하다가는 어렵게 얻어 낸 1등의 자리를
   어이 없게 빼앗기게 될지도 모른다.
   = 잠시 동안 하는 방심이나 실수조차 치명적인 결과로 돌아오는
    첨예한 경쟁 환경에서 이렇게 주저하다가는 어렵게 얻어 낸 1
    등의 자리를 어이 없게 빼앗기게 될지도 모른다.
(2) 장엄하신 부처님의 입술에는 오늘도 천년의 신비를 머금고 계시
   는데 붉은 연지가 입술에 아직도 그대로 남아 있었습니다.
   = 장엄하신 부처님의 입술에는 오늘도 천년 동안 간직해 오신
    신비를 머금고 계시는데 붉은 연지가 입술에 아직도 그대로
    남아 있었습니다.
(3) 히딩크 8분의 기적
   = 히딩크 8분 동안에 이룩한 기적

7. 「의」를 「~(~상 허식적)인 상태」, 「~이라는」, 「~인 (적)」 등으로 풀이할 수 있는 예

(1) 당초에 민족적 요구로서 출치 아니한 양국 병합의 결과가 필경 고식적 위압과 차별적 불편과 통계 숫자의 하에서 이해상반한 양 민족 간에 연구히 화동할 수 없는...

= 당초에 민족적 요구로서 출치 아니한 양국 병합의 결과가 필경 고식적 위압과 차별적 불편과 통계 숫자상 허식적(인) 상태 하에서 이해 상반한 양 민족 간에 연구히 화동할 수 없는...

(2) 일반 대극 통상 승률 1위는 역시 이창호로 77.8%란 발군의 성적 표를 작성하고 있다.

= 일반 대국 통상 승률 1위는 역시 이창호로 77.8%란 발군적 성 적표를 작성하고 있다.

위의 밑줄 그은 「의」는 성적표를 꾸미는 「발군적(상태인)」으로 어렵게 풀어 그저 「성적표」를 꾸미는 「상태」를 나타내는 것으로 보 았다. 그렇지 않으면 「발군의」를 풀어서 「무리에서 빼어난」으로 풀어야 할 것이다.

(3) 최악의 피해 우려
 = 최악인 상태(황)에 이를 피해 우려

여기서의 「최악의」도 앞에서 다룬 정도나 수준에 소속시켜 다루 어야 하는데 여기서 다루는 까닭은 어떻게 보면 「최악의」가 「피해」

에 대한 관형어의 구실을 하므로 「상태」를 나타내는 것으로 보았기 때문이다.

(4) 화물연대도 파업 결정. 최악의 물류 대란 우려
    = 화물연대도 파업 결정 최악 상태에 이를 물류 대란 우려
(5) 원시의 숲
    = 원시 상태인 숲

위의 「원시의 숲」은 달리 「원시 상태로 있는 숲」으로 풀어도 무방할 듯하다.

(6) 위기의 민노총
    = 위기 상황(상태)에 처한 민노총
(7) 몰교양의 온상인가?
    = 몰교양 상태를 만들어 내는 온상인가?

위의 풀이는 「몰교양을 양산하는」으로 풀어도 좋을까?

(8) 미망의 사도들인 NL운동권과의 인연을 과감히 끊고 운동권 이전의 그 순탄한 모습으로 다시 서기를 기대한다.
    = 미망의 사도들인 NL운동권과의 인연을 과감히 끊고 운동권 이전 상태인 그 순탄한 모습으로 다시 서기를 기대한다.
(9) 테러전이 아닌 민주주의의 잣대를 들이면 이후 미국의 동맹국 명단도 변하고 있다.

= 테러전이 아닌 민주주의라는 잣대를 들이면 이후 미국의 동맹
국 명단도 변하고 있다.

(10) 경제학 박사의 학위를 받고 돌아오신 고루 박사

= 경제학 박사라는(또는 박사인) 학위를 받고 돌아오신 고루 박
사

(11) 진보진영에 대한 정체절명의 위기라고 진단하는데도 말이다.

= 진보진영에 대한 정체절명 상태인 위기라고 진단하는데도 말
이다.

8. 「의」를 「관계」로 풀 수 있는 예

(1) 나의 친구여

「나와 친하게 사귀는 친구여」로 풀어도 좋을 것이다.

(2) 김구 선생의 차남인 김신 장군이 가흥시를 방문해서...

(3) 나의 딸아이 모습

(4) 반도에서 이주해 온 조선인의 후손 대다수가 모국어를 모르고
있어...

(5) 소설가 마쓰모토는 '야마도의 조상'에서 "이른바 천손 겨레가 한
국에서 한꺼번에 왕성 부근에 건너오기 전에도 도래인들이 여러
차례 일본으로 건너와 여러 곳에서 집단을 이루고 살았다"고 했
다.

(6) 이나기의 증손자가 초대 진무왕이다.

(7) 게이코오(景行)왕의 아들 야마토 다게루.

(8) 우리의 조상

(9) 나의 손자

(10) 나의 누나

(11) 이나기의 손자로서 오곡을 맡은 도요우케노 오오카미를 모신다.

(12) 존경하는 우리의 스승님

9. 「의」를 「중」 또는 「가운데」로 풀 수 있는 예

(1) 우리 셋의 한 사람은 머리가 천재이다.

= 우리 셋 가운데 한 사람은 머리가 천재이다.

(2) 우리 겨레의 성인은 모두 제 살 길을 모두 제 자신이 마련해야 한다.

= 우리 겨레 중 성인은 모두 제 살 길을 모두 제 자신이 마련해 야 한다.

(3) 중국 고전의 대부분을 차지하는 유교 경전의 내용은 크게 보아 중화사상이고 지배계급의 통치 철학이자 처세론이다.

= 중국 고전 중 대부분을 차지하는 유교 경전의 내용은 크게 보 아 중화사상이고 지배계급의 통치 철학이자 처세론이다.

(4) 우리 나라의 대부분은 산으로 되어 있다.

= 우리 나라 가운데 대부분은 산으로 되어 있다.

(5) 운보 김기창은 친일 화가의 선두주자였던 김은호의 수제자.

= 운보 김기창은 친일 화가 중 선두 주자였던 김은호의 수제자.

(6) 그 말들이 섞여도 닿소리나 홀소리의 일부가 변하기는 할지언정 녹지 않고 그 꼴을 그대로 지닌다.

= 그 말들이 섞여도 닿소리나 홀소리 가운데 일부가 변하기는 할지언정 녹지 않고 그 꼴을 그대로 지닌다.

10. 「의」를 「~가 이룬(성취)」로 풀 수 있는 예

(1) 신라의 통일

    = 신라가 이룬 통일

(2) 백제의 부흥

    = 백제가 이룬 부흥

(3) 한국의 근대화

    = 한국이 이룬 근대화

11. 「의」를 「~라 하는(칭하는)」, 「~에 있는」, 「명칭」으로 풀 수 있는 예

(1) 백두의 산

    = 백두라 하는(칭하는) 산

(2) 약산의 고향

    = 약산이라 하는 고향

(3) 엘루살렘의 성지

    = 엘루살렘이라는 성지

(4) 경포의 호수

    = 경포에 있는 호수

(5) 세강의 한의원

    = 세강이라는 한의원

12. 숙어 또는 관용어를 만들기 위하여 「의」를 사용하는 예

(1) 유종의 미
(2) 그림의 떡
(3) 형설의 공
(4) 미증유의 격전 또는 미증유의 전투
(5) 일종의 비굴함(또는 일종의 특혜)
(6) 한치의 양보
(7) 별의 별 일

위의 (1)은 쉽게 풀기가 좀 어려우며 (2)은 앞에서 풀이하여 보았으나 일종의 관용어나 숙어로 우리가 흔히 쓰는 말이다. (3)은 굳이 풀면 "형설에 의하여 이룩한 공"으로 될 것이나, 일종의 관용어로 보는 것이 좋을 것이다. (4)는 굳이 풀지 않아도 될 것인데 언제나 「미증유의 ~」의 형식으로 많이 쓰고 있다.

그리고 (5)는 굳이 풀면 「한 가지 종류에 속하는 ~」이 될 것이나 이렇게까지 무리하게 풀 필요는 없을 것 같다. 그래서 이것도 관습상 쓰는 것으로 보아 두는 것이 좋지 않을까 한다. (6)은 「조금」이라는 뜻으로 쓰며 (7)은 매김씨로 굳어 버렸다.

13. 책 이름이나 노래의 제목을 나타내기 위하여 「의」를 쓰는 일이 많다.

(1) 젊은 베르테르의 슬픔

(2) 제2의 인생

(3) 사랑의 노래

(4) 목포의 눈물

(5) 안네의 일기

(6) 우리의 맹서

(7) 이별의 부산 정거장

(8) 건설의 노래

위의 (1)~(8)까지도 굳이 어떤 뜻으로 풀려고 하면 풀 수 있으나 반드시 그렇게 할 필요를 느끼지 아니하고 「의」의 한 가지 용법으로 처리하는 것이 좋으리라 생각된다. 무슨 「제목」이나 책의 이름으로는 위에 보인 것 이외에도 얼마든지 있으나 그 정도로 하여 둔다.

14. 「의」가 비율을 나타내는 데 쓰인다.

(1) 본문의 3분의 일도 읽지 못한 상태에서 글살이는 자신의 생각이 얼마나 부질없는 것인지를 깨닫게 되었고…

(2) 반의 반 값

(3) 십분의 일

(4) 백분의 일

(5) 주가가 4분의 1 토막이 나면서 작년말 수준으로 돌아갔다.

(6) 대부분의 인민이 글도 못 읽는 지경에 빠지고 말았다.

(7) 이 땅의 삼분의 일이 그의 것이었다.

(8) 나는 그의 은혜를 만분의 일도 못 갚았다.

15. 「의」가 수를 나타내는 일이 있다.

(1) 또 하나의 자전거 전용 도로 개설

(2) 하나의 문제가 열의 문제를 일으킨다.

(3) 또 한 번의 신화를 이룩합시다.

(4) 좋은 학벌을 갖추었다는 사실이 성공에 이르는 하나의 단서이자 지름길이라는 상식을 부정할 수는 없다.

(5) 한 사람의 병사의 목숨도 결코 소홀하게 취급하지 않는다.

(6) 기부문화 꽃 피울 한 알의 씨앗을 뿌려

위의 「한 알의」는 「수」 또는 「수량」을 나타내는 것으로 보아야 한다. 또 수량을 나타내는 예들은 다음과 같은 게 있다.

(7) 1200칼로리의 식사

(8) 한 사람의 친구를 지적하려면 나는 즉석에서 당신을 지적할 것입니다.

(9) 몇몇 사람의 지식인을 빼면 대부분의 인민이 글도 못 읽는 지경에 빠지고 말았다.

(10) 또 한 번의 기회를 노린다.

16. 「의」가 「차례」를 나타내는 일이 있다.

(1) 최후의 템플 기사단
(2) 최초의 승리
(3) 맨 끝의 아들
(4) 세 번째의 문제를 알 수 없었다.

17. 「의」가 어떤 모습을 상징적으로 나타내는 일이 있다.

(1) 창조의 아침
(2) 통영엔 매일 음악의 바다가 열린다.
(3) 남북의 창

위의 예는 「남과 북을 바라볼 수 있는 창」으로 풀 수도 있으나 먼저 하나의 굳은 말로 보는 것이 좋을 듯하다. 그리고 (1)과 (2)도 마찬가지로 다루는 것이 좋을 듯하다.

18. 「의」가 그 앞뒤 말과의 관계에 따라 여러 가지 뜻을 나타내는 예들

〈1〉 「의」를 「모신」으로 풀이할 수 있는 예
(1) 오늘의 게스트
   = 오늘 모신 게스트

〈2〉「의」를 「~까지 이르는」으로 풀 수 있는 예

(1) 산장에서 암자까지의 소릿길을 걸으면서 나는 그 장엄한 대자연에 위압을 당하고 있었는지 모릅니다.

= 산장에서 암자까지 이르는 소릿길을 걸으면서 나는 그 장엄한 대자연에 위압을 당하고 있었는지 모릅니다.

〈3〉「의」를 「서로 ~기 위하여 마련한」으로 풀 수 있는 예

(1) 만남의 광장

= 서로 만나기 위하여 마련한 광장

(2) 후원의 밤

= 후원하기 위하여 마련한 밤

〈4〉「의」를 토씨 「에서 열린」으로 바꾸어 나타낼 수 있는 예

(1) 자신은 호주의 월드컵 본선 1호 곧 주인공으로 남게 되었기 때문이다.

= 자신은 호주에서 열린 월드컵 본선 1호 곧 주인공으로 남게 되었기 때문이다.

〈5〉「의」를 「~금융업을 하는데 있어서」로 풀이할 수 있는 예

(1) 모바일 금융의 중심

= 모바일 금융업을 하는데 있어서 중심

〈6〉「의」를 「~하여 있던」으로 풀 수 있는 예

(1) 기존의 책을 보면 한국어의 특질을 논하면서 한국어만 보고 있는 것이다.

= 기존하여 있던 책을 보면 한국어의 특질을 논하면서 한국어만 보고 있는 것이다.

〈7〉「의」를 「~하는」으로 풀 수 있는 예
(1) 불멸의 베토벤

위의 예는 완전히 풀어서 「멸하지 않는 베토벤」으로 풀어야 옳다.

(2) 푸른 눈의 붉은 악마
= 푸른 눈을 한 붉은 악마

〈8〉「의」를 「~나는(또는 ~에 떠오르는)」으로 풀이할 수 있는 예
(1) 기억의 해방
= 기억나는 해방

위의 예를 달리 「기억에 떠오르는 해방」 또는 「기억되는 해방」, 「기억하게 되는」 등으로 풀 수 있지 않을까 한다.

〈9〉「의」를 「~을 보여 주는」으로 풀 수 있는 예
(1) 시련과 전진의 전시장은 광복 60돌을 맞는 시민의 기쁨으로 들썩였다.
= 시련과 전진을 보여 주는 전시장은 광복 60돌을 맞는 시민의 기쁨으로 들썩였다.

〈10〉「의」가 그 앞의 이름씨와 합하여 단순히 그 다음 말을 꾸미
　　　는 구실만을 하는 예

(1) 남의 것을 모방하는데 급급하면서도 하등의 부끄러움조차 느끼
　　지 못하고 있다는 사실이다.

위의 「하등의」는 다른 말로 바꿀 수도 없다. 따라서 「하등의」는
「부끄러움」을 꾸미고 있다.

(2) 황금알 낳는 반도체, 부동의 세계 1위

위의 「부동의」를 풀이하면 「움직일 수 없는」이 될 것이나, 그대
로 「세계 1위」를 꾸미는 구실을 하는 것으로 보는 게 좋겠다.

〈11〉「의」를 「～으로부터 이어받은」으로 풀이할 수 있는 예

(1) 내 가슴에 내 만신에 내 조상의 피가 흐르고 있다.
　　= 내 가슴에 내 만신에, 내 조상으로부터 이어받은 피가 흐르고
　　　있다.

(2) 우리 가슴에는 단군의 피가 용솟음치고 있다.
　　= 우리 가슴에는 단군으로부터 이어받은 피가 용솟음치고 있다.

〈12〉「의」를 그 본뜻에 따라 월을 나타내려면 다음과 같이 고쳐
　　　써야 한다.

(1) 글자가 현실의 본떠기란 생각을 낳기 쉽다.
　　= 글자가 현실을 본떠는 것이란 생각을 낳기 쉽다.

〈13〉「의」를「평소에 하는 또는 일반적으로 하는」등으로 풀 수 있는 예

(1) 고루 박사는 두 손을 반쯤 들어 예의 제스쳐를 쓰면서 조용히 이렇게 말씀하셨다.

= 고루 박사는 두 손을 반쯤 들어 <u>평소에 하는(일반적으로 하는)</u> 제스쳐를 쓰면서 종용히 이렇게 말씀하셨다.

위의「예의」는 이본말투인데 이것을 무리하게 푸니까 밑줄과 같이 되었으나 글쓴이가 생각하기에는 이것은 일종의 굳은 말로 다루어서 풀어 쓰지 않는 것이 좋을 것 같다.

〈14〉「의」가 소유를 나타내는 예

여기서 다시 소유를 예로 드는 이유는 소유의 개념을 한 번 더 확실하게 하기 위해서다.

(1) 반만년 역사의 권위를 장하야 차를 선언함이며 이천만 민중의 충성을 합하야 차를 표명함이며 민족의 항구영원한 자유 발전을 위하여 차를 주자함이며…

(2) 여기는 우리의 땅이다.

(3) 너의 돈은 얼마나 되냐?

(4) 독도는 우리의 국토이다.

(5) 너의 책은 어디 있느냐?

〈15〉「의」를「요리하는」으로 풀 수 있는 예

(1) 오늘의 메뉴

　 = 오늘 요리하는 메뉴

위의「오늘의 메뉴」를「오늘 차리는 메뉴」로 하여도 좋을 듯하다.

〈16〉 다음과 같이 말을 보충하고「의」를「~할」로 풀이할 수 있는 예

(1) 왜곡 보도의 소지가 있다.

　 = 왜곡하여 보도할 소지가 있다.

〈17〉「의」를 다음과 같이 풀어야 할 예

(1) 상상력과 글쓰기의 창고

　 = 상상력과 글쓰기에 대한 지식이나 기술을 가득 갈무리하고 있는 창고

(2) 열정의 2002... 매혹의 2006

　 = 열정적이었던 2002... 매혹적인 2006

〈18〉「의」를「~하여 둔(두었던)」으로 풀 수 있는 예

(1) 비장의 전술 완성

　 = 비장하여 두었던(둔) 전술 완성

〈19〉「의」를「~하여서 대화한」으로 풀 수 있는 예

(1) 첫 만남의 분위기가 썩 나쁘지 않았던 것으로 보인다.

　 = 처음 만나서 대화한 분위기가 썩 나쁘지 않았던 것으로 보인다.

위를 「첫 만남이 자아낸 분위기가 썩 나쁘지 않았던 것으로 보인다」로 풀 수도 있을 것이다.

〈20〉 「의」를 「~모두가 참여하는」으로 풀 수 있는 예

(1) 국민의 이름으로 재판하자.

　= 국민 모두가 참여하는 이름으로 재판하자.

〈21〉 「의」를 「~한 듯이 달리는」으로 풀 수 있는 예

(1) 분노의 질주

　= 분노한 듯이 달리는 질주

〈22〉 「의」가 「소속」을 나타내는 예

(1) 나라의 뿌리에서 번져 나갔을 것으로 보는 것이 타당하다.

위의 「의」는 「소속」, 즉 「~에 속하는」 또는 「~가 가진」으로 풀 수 있을 것이다.

(2) 모두의 가슴을 뜨겁게 울린 시사회 현장

위에서 「가슴」은 「모두」에 소속되어 있다.

〈23〉 「의」가 등수를 나타내는 일이 있다.

이렇게 주저하다가는 어떻게 얻어낸 1등의 자리를 어이없게 빼앗기게 될지도 모른다.

〈24〉「의」를 「∼하는데 있어서」로 풀 수 있는

(1) 생활의 중심

= 생활하는데 있어서 중심

IX. 「의」의 뜻을 완전하게 나타내기 위하여 월을 길게 풀거나 다른 말을 첨가하여 나타내어야 하는 예들

1. 「의」의 뜻을 완전하게 나타내기 위하여 월을 풀어야 하는 예들

〈1〉「의」가 붙은 이름씨를 부림말로 하고 「의」 바로 뒤의 이름씨를 움직씨로 하여야 하는 예

(1) 권력의 정정 청구 크게 늘 듯

　= 권력을 정정하려는 청구가 크게 늘 듯하다.

(2) 신문의 복수 소유 언론 다양성 기여

　= 신문을 복수로 소유하게 하는 것은 언론을 다양하게 하는 데 기여한다.

〈2〉「의」를 「~로」로 바꾸고 그 바로 뒤의 이름씨를 부림말로 하여 월의 구조를 바꿔 놓아야 하는 예

(1) 복수의 신문 소유 길은 열어 줘.

　= 복수로 신문을 소유할 수 있는 길은 열어 주었다.

〈3〉 「의」가 쓰여 있는 이름씨를 부림말로 하고 그 뒤에 다른 말을 덧붙여 뜻을 완전하게 하여야 하는 예

(1) 가난한 정부의 '진짜 대통령들'

= 가난한 정부를 다스려 가야 할 "진짜 대통령들"

위의 "다스려 가야 할"을 "이끌어 가야 할"로 하는 것이 더 나을 것 같다.

〈4〉 「의」를 「가」로 바꾸고 그 뒤에 「폭발하는」 또는 「거둔」을 더하여야 할 예

(1) 두 기술 축구의 "박뱅"-충돌

= 두 기술 축구가 일으킬 "빅뱅"-충돌

여기 "빅뱅"은 우리말로 옮기면 "대폭발"이다. 따라서 다시 풀어 보면 「그 기술로 하는 두 축구가 일으킬 대폭발, 즉 충돌을 할 것이다」로 될 것 같다.

(2) "아쉽지만 존중" "비판 언론의 승리"

= 아쉽지만 존중 "비판 언론이 거둔 승리"

위의 글을 쉽게 이해되도록 고쳐 보면 "아쉽지만 언론을 존중하였고 비판하는 언론이 승리를 거두었다"로 될 것이다.

(10) 프랑스 소설의 새로운 브랜드 장폴디부아 신드롬

= 프랑스 소설이 창조하는 새로운 브랜드 장폴디부아 신드롬

(11) 신문은 자본의 이익에 봉사하므로 사회 정의에 맞게 뜯어고쳐
 야 한다는 것이 사회주의 언론관이다.
 = 신문은 자본이 이익되게 봉사하므로 사회 정의에 맞게 뜯어
  고쳐야 한다는 것이 사회주의 언론관이다.
(12) 언론의 다양성을 위해서라고 했다.
 = 언론이 다양성을 갖추게 하기 위해서라고 했다.

〈5〉「의」를 「이」로 바꾸고 그 뒤에 문맥에 알맞은 말을 넣어서 풀어야 하는 예

(1) 정권의 안녕을 위한 공공성, 다양성일 뿐이다.
 = 정권이 안녕하기를 위한 공공성, 다양성일 뿐이다.
(2) 당의 품에 안겨 정말 행복 체제 옹호 발언도
 = 당이 안아 주는 품에 안겨 정말 행복 체제 옹호 발언도

〈6〉「의」의 본뜻을 살리기 위하여 다음 밑줄 그은 부분과 같이 풀어야 하는 예

(1) 좌충우돌 블라터의 "입"
 = <u>좌충우돌하는 식으로 블라터가 말하는</u> "입"

〈7〉「의」가 나타내고자 하는 본뜻을 살리기 위하여 다음과 같이 말을 고쳐 하여야 하는 예

(1) 유월의 아픔
 = 유월이 되면 저절로 느껴지는 아픔

〈8〉 「의」를 「~으로서 자격을 갖춘」으로 풀 수 있는 예

(1) 21세기 강국으로서의 한국

　　= 21세기 강국으로서 자격을 갖춘 한국

〈9〉 「의」를 「을」로 바꾸고 그 뒤에 문맥에 맞는 말을 넣어서 풀어야 할 예

(1) 대학 비판적 지성의 무덤인가?

　　= 대학 비판적 지성을 없애 버리려는 무덤인가?

X. 「의」의 뜻을 하나의 낱말로 줄여 나타낼 수 있는 예들

1. 「의」가 발견의 뜻을 나타내는 예

(1) 콜럼버스의 아메리카 대륙

= 골럼버스가 발견한 아메리카 대륙

(2) 뉴턴의 만유인력

= 뉴턴이 발견한 만유인력

2. 「의」가 발명의 뜻을 나타내는 예

(1) 에디슨의 축음기

= 에디슨이 발명한 축음기

(2) 스티븐슨의 증기기관차

= 스티븐슨이 발명한 증기기관차

3. 「의」가 제작한(만든)의 뜻으로 이해되는 예

(1) 우륵의 가야금

= 우륵이 만든(제작한) 가야금

(2) 이순신의 거북선

= 이순신이 제작한(만든) 거북선

4. 「의」가 소생의 뜻을 나타내는 예

(1) 인도의 시인 타고르

= 인도가 낳은 시인 타고르

(2) 독일의 시인 라이너 마리아 릴케

= 독일이 낳은 시인 라이너 마리아 릴케

5. 「의」가 생산, 산출의 뜻으로 이해되는 예

(1) 안성의 유기

= 안성에서 생산되는 유기

(2) 제주의 말

= 제주에서 생산되는 말

6. 「의」가 집필자, 제작자, 가창자, 연주자, 작성자, 주체자, 발신자 등을 나타낸다.

(1) 충무공의 난중일기

　= 충무공이 집필한 난중일기

(2) 박동진의 춘향가

　= 박동진의 가창한(부른) 춘향가

(3) 허웅의 20세기 형태론

　= 허웅이 저작한 21세기 형태론

(4) 독일의 월드컵 축구경기

　= 독일이 주체한 월드컵 축구경기

(5) 신양의 바이올린 독주

　= 신양이 연주한 바이올린 독주

(6) 김교수의 행사 계획서

　= 김교수가 작성한 행사 계획서

(7) 철수의 E-메일(발신)

　= 철수가 발신한 E-메일

7. 「의」가 소재를 나타낸다.

(1) 부산의 태종대(소재)

　= 부산에 있는 태종대

(2) 서울 종로의 종각

　= 서울 종로에 있는 종각

8. 「의」가 위치 또는 방향을 나타낸다.

(1) 태백산의 서쪽

= 태백산을 향하여 서쪽(방향)

(2) 부산은 우리나라의 남쪽에 있다.

= 부산은 우리나라에서 보면 남쪽에 있다.(방향)

9.「의」가 한계, 선택의 범위를 나타낸다.

(1) 물질과 정신의 세계

= 물질과 정신이 차지한 세계(선택의 범위)

(2) 이 범위의 성적이면 괜찮다.

= 이 범위에 속하는 성적이면 괜찮다.(범위)

10.「의」가 발생을 나타낸다.

(1) 미소의 전쟁

= 미소로 생기는 전쟁(발생)

(2) 냉전의 비극

= 냉전으로 일어나는 비극(발생)

11.「의」가 비교를 나타낸다.

(1) 우리의 세배나 된다.

= 우리보다 세배나 된다.(비교)

(2) 그는 수입이 나의 두 배이다.

= 그는 수입이 나보다 두 배이다.(비교)

12. 「의」가 도량형의 단위를 나타낸다.

(1) 보리쌀 한말의 값

   = 보리쌀 한말에 대한 (한말에 대하여 지불하는) 값(단위)

(2) 월 오푼의 사채

   = 월 오푼을 주고 쓰는 사채(단위)

13. 「의」가 정도를 나타낸다.

(1) 10층 이상의 건물

   = 10층 이상 되는 건물(정도)

(2) 고도의 인격 수양

   = 고도인 인격 수양(정도)

14. 「의」가 재료를 나타낸다.

(1) 순금의 반지

   = 순금으로 만든 반지(재료)

(2) 철근콘크리트의 건물

   = 철근콘크리트로 지은 건물(재료)

15. 「의」가 준수의 뜻을 나타낸다.

(1) 참석자의 임무

   = 참석자가 지켜야 할 임무(준수)

(2) 토론에서의 질서

　　= 토론에 있어서 지켜야 할 질서(준수)

16. 「의」가 비유를 나타낸다.

(1) 일장춘몽의 인생

　　= 일장춘몽과 같은 인생(또는 일장춘몽에 비유되는 이생) (비유)

(2) 황금의 어장

　　= 황금에 비유되는 어장(비유)

17. 「의」가 필요성을 나타낸다.

(1) 노력은 성공의 원천

　　= 노력은 성공을 하는데 필요한 원천(필요성)

(2) 실패는 성공의 어머니

　　= 실패는 성공을 이루어 내는 어머니(필요성)

위의 예는 다시 「실패는 성공을 하는데 필요한 어머니」로도 풀 수 있을 것이다.

18. 「의」가 주효를 나타낸다.

(1) 감기의 약으로는 아스피린이 좋다.

　　= 감기를 고치는 약으로는 아스피린이 좋다.(주효)

(2) 결핵의 약은 마이신이 좋다.

   = 결핵을 고치는 약은 마이신이 좋다.(주효)

19. 「의」가 소기의 뜻을 나타낸다.

(1) 제주의 풍광

   = 제주에서 일어나는 풍광(소기)

위를 달리 「제주에서 펼쳐지는 풍광」으로 푸는 것이 더 자연스러울 것 같다.

20. 「의」가 소작을 나타낸다.

(1) 한 폭의 그림

   = 한 폭에 그린 그림(소작)

21. 「의」가 작곡을 나타낸다.

(1) 한 곡의 음악

   = 한 곡으로 만든 음악(작곡)

XI. 「의」가 자리토씨, 도움토씨, 이음토씨와 겹토씨 를 이루어 여러 가지 뜻을 나타내는 예들

1. 「에서의」

(1) 집에서의 일은 말하지 말라.

　= 집에서 있었던 일은 말하지 말라.

(2) 어린 시절에서의 꿈은 이루어질까?

　= 어린 시절에 꾸었던 (품었던) 꿈은 이루어질까?

(3) 학교에서의 공부는 참 재미 있었다.

　= 학교에서 한 공부는 참 재미 있었다.

(4) 그 발표회에서의 토론은 진지하였다.

　= 그 발표회에서 논쟁했던 (다투었던) 토론은 진지하였다.

(5) 해운대에서의 휴가는 잊을 수 없다.

　= 해운대에서 보냈던 휴가는 잊을 수 없다.

(6) 그 병원에서의 진단은 틀림없었다.

　= 그 병원에서 내린 진단은 틀림없다.

위의 (1)~(6)까지에서 보아 알 수 있듯이 「에서의」에서 「의」가 나타내는 뜻은 그 바로 뒤에 오는 명사에 따라 결정된다는 사실을 알게 될 것이다.

2. 「서의」

(1) 학교서의 숙제는 어렵다.

    = 학교에서 내어 준 숙제는 어렵다.

(2) 교회서의 기도는 감동적이었다.

    = 교회에서 올린 기도는 감동적이었다.

(3) 이 공장서의 제품은 훌륭하다.

    = 이 공장에서 만든 제품은 훌륭하다.

위의 (1)~(3)까지의 예에서 보듯이 「서의」에서의 「의」의 뜻도 그 바로 뒤에 오는 명사에 따라서 결정된다는 사실을 알 수 있다.

3. 「으로의」

(1) 여기서 동으로의 길은 험하다.

    = 여기서 동으로 가는(통하는) 길은 험하다.

(2) 남으로의 진군이 시작되었다.

    = 남으로 향한 진군이 시작되었다.

(3) 앞으로의 활동 계획

    = 앞으로 하여야 할 활동 계획

4. 「으로서의」

(1) 그것은 사람으로서의 당연한 일이다.

 = 그것은 사람으로서 하여야 할 당연한 일이다.

(2) 공부하는 것은 학생으로서의 임무이다.

 = 공부하는 것은 학생으로서 마땅히 하여야 할 임무이다.

(3) 노동은 나로서의 일은 아니다.

 = 노동은 나로서 할 일은 아니다.

5. 「대로의」

(1) 너는 너대로의 일이 있을 게 아닌가?

 = 너는 너대로 하여야 할 일이 있을 게 아닌가?

(2) 그는 나름대로의 꿈이 있다.

 = 그는 나름대로 그리는 꿈이 있다.

(3) 석굴암은 석굴암대로의 아름다운 모습을 지니고 있다.

 = 석굴암은 석굴암대로 독특하게 뛰어난 아름다운 모습을 지니고 있다.

6. 「만큼의」

(1) 그는 이만큼의 재산을 모았다.

 = 그는 이만큼 많은 재산을 모았다.

(2) 사람은 노력만큼의 보수를 받는다.

 = 사람은 노력만큼 누릴 보수를 받는다.

7. 「와의/과의」

(1) 너와 나와의 일
   = 너와 나와가 할 일
(2) 너와 그와의 관계
   = 너와 그와가 맺은 관계
(3) 너와 나와의 사랑
   = 너와 나와가 나누는(하는) 사랑

8. 「하고의」

(1) 너하고 나하고의 몫
   = 너하고 나하고가 가져야 할(차지하여야 할) 몫
(2) 철수하고 영희하고의 인생
   = 철수하고 영희하고가 살아가는 인생

9. 「만의」

(1) 나만의 행복
   = 나만이 누리는 행복
(2) 그이만의 자랑
   = 그이만이 할 수 있는(하는) 자랑
(3) 철수만의 재산
   = 철수만이 소유하고 있는 (가질수 있는) 재산

10. 「마다의」

(1) 사람은 누구를 막론하고 저마다의 소망이 있다.

    = 사람은 누구를 막론하고 저마다 바라는 바 소망이 있다.

(2) 사람은 저마다의 재주가 있다.

    = 사람은 저마다 가지고 있는(저마다 타고 난)재주가 있다.

(3) 각 나라는 그 나라마다의 국기가 있다.

    = 각 나라는 그 나라마다를 상징하는 국기가 있다.

11. 「로부터의」

(1) 그로부터의 편지

    = 그로부터 온 편지

(2) 미국으로부터의 소식

    = 미국으로부터 전하여 온 소식

(3) 예로부터의 전설

    = 옛날부터 전하여 오는(내려오는) 전설

12. 「까지의」

(1) 여기까지의 땅이 우리 소유이다.

    = 여기까지 이르는 땅이 우리 소유이다.

(2) 세금을 이 달 20일까지의 기한 내에 납부하여야 한다.

    = 세금은 이 달 20일까지 동안인 기한 내에 납부하여야 한다.

13. 「께서의」

(1) 할아버지께서의 유언

   = 할아버지께서 하신(남기신) 유언

(2) 아버지께서의 빚은 우리가 갚아야 한다.

   = 아버지께서 지신 빚은 우리가 갚아야 한다.

위의 모든 예에서 보면 「의」의 뜻은 그 바로 뒤에 오는 명사에 의하여 결정된다는 사실을 알 수 있을 것이다. 「의」와 복합토씨를 이룰 수 있는 것은 위에서 다룬 토씨에 국한되는 것 같다.

XII. 어미에 쓰이는 「의」의 뜻

1. 「~나서의」

(1) 빚을 지고 나서의 일을 어떻게 할 것인가?

　= 빚을 지고 나서 생긴 일을 어떻게 할 것인가?

(2) 일을 끝내고 나서의 처리 문제를 생각해 보았으냐?

　= 일을 끝내고 나서 하여야 할 처리 문제를 생각해 보았느냐?

2. 「~고서의」

(1) 외상으로 먹고서의 문제는 어떻게 할 것이냐?

　= 외상으로 먹고서 생긴 문제는 어떻게 할 것이냐?

(2) 이 일을 끝내고서의 다음 일을 생각해 보아야지.

　= 이 일을 끝내고서 무엇을 할지 다음 일을 생각해 보아야지.

3. 「~는데 있어서의」

(1) 이 일을 하는데 있어서의 문제점이 무엇인지 알아보아야 한다.

    = 이 일을 하는데 있어서 야기될 문제점이 무엇인지 알아보아야
      한다.

(2) 이 문제를 해결하는데 있어서의 조심할 점은 무엇이냐?

    = 이 문제를 해결하는데 있어서 알아야 할 조심할 점은 무엇이
      냐?

4. 「~하고 나서의」

(1) 교통법류를 위반하고 나서의 문제를 생각하여 보았느냐?

    = 교통법규를 위반하고 나서 일어날(생길) 문제를 생각하여 보
      았느냐?

(2) 이 수술을 받고 나서의 일을 생각하여라.

    = 이 수술을 받고 나서 대처하여야 할 일을 생각하여라.

5. 「~느냐의」

(1) 중요한 것은 이기느냐 지느냐의 문제이다.

    = 중요한 것은 이기느냐 지느냐에 관한 문제이다.

(2) 소풍을 가느냐 가지 않느냐의 문제로 논의가 시작되었다.

    = 송풍을 가느냐 가지 않느냐 하는 문제로 논의가 시작되었다.

6. 「아서의」

(1) 그가 와서의 문제로 집안이 시끄럽다.

    = 그가 왔기 때문에 생긴 문제로 집안이 시끄럽다.

(2) 집을 팔아서의 문제로 부부가 다투었다.

　　= 집을 팔아서 초래된 문제로 부부가 다투었다.

어미에 「의」가 오는 경우는 위에서 예시한 것에 국한되는 것 같다. 앞으로 「의」는 그 사용 범위가 더 넓어질 것으로 보아진다.